les
Pyrénées

Forêt d'Iraty

Pierre Minvielle

les Pyrénées

Fernand Nathan

La grande barrière pyrénéenne au-dessus de Luchon. De gauche à droite, les pics de Maupas, des Crabioules et Lézat. Au premier plan, la vallée du Lys.

La grande barrière

« Les Pyrénées, c'est tout simplement un mur immense qui s'abaisse aux deux bouts. » Voilà l'image la plus parfaite de la cordillère pyrénéenne telle que l'a esquissée jadis Michelet dans son *Histoire de France*.

Tous les géographes qui se sont penchés sur la définition des montagnes s'accordent sur un point : souligner d'abord globalement les hauts reliefs. Cette impression première se renforce lorsqu'il s'agit des Pyrénées.

Au sud-ouest de la France, c'est bien tout l'horizon, vers l'Espagne, que barre la masse bleuâtre de la chaîne. Après les étendues sages des Landes, du plateau de Lannemezan, des terrasses de la Garonne ou des plaines du Languedoc, au sud d'une ligne passant par Bayonne, Saint-Gaudens, Pamiers, Limoux et Rivesaltes, on voit tout à coup se dresser un relief haut, compact, ininterrompu, dont l'axe court d'ouest en est sur 480 km, de l'Atlantique à la Méditerranée. Certes, les extrémités océane et méditerranéenne de cette barrière s'affaissent insensiblement, mais le reste de la muraille offre un front uni qui paraît sans défaut. Et cette impression reste la même si l'on vient de l'Espagne.

A mesure que l'on se rapproche et que le modelé du relief se précise, on constate qu'il se hérisse progressivement, vague après vague, se hissant jusqu'à plus de 3 000 m. Mais cette masse reste compacte, sans pics vraiment isolés, sans coupure très apparente non plus. Les cols sont tous élevés. Les vallées qui s'enfoncent dans ce bloc de montagnes paraissent elles-mêmes des culs-de-sac et elles le sont souvent.

Même du point de vue administratif, c'est le relief qui sert indirectement à définir les Pyrénées puisque les trois arrêtés ministériels qui fixent, en France, les limites du massif (20-2-74, 28-4-76 et 18-1-77) se fondent sur la notion d'altitude. Pour l'État, les Pyrénées correspondent à l'ensemble des territoires des communes du Sud-Ouest français dont l'altitude moyenne atteint ou dépasse 500 m.

C'est donc bien de leur relief que les Pyrénées tirent leur originalité fondamentale, quelque 40 000 km² de vallées et de montagnes répartis sur les territoires français, espagnol et andorran. C'est en fonction du relief que se déterminent les conditions naturelles, les communautés vivantes et l'action de l'homme, qui constituent les trois composantes de l'écosystème pyrénéen.

Une harde d'isards aux aguets dans les rochers.

Première partie

LES PYRÉNÉES, PARADIS DE LA NATURE

Vautours fauves sur leur reposoir.

Chapitre premier

Le cadre naturel

La houle des cimes

A première vue, l'enchevêtrement des reliefs pyrénéens semble très confus. En partant de l'ouest, les collines basques mêlent d'abord leurs silhouettes arrondies et vertes comme l'océan voisin. Vient ensuite le massif calcaire d'Orhy qui oppose les premiers grands entablements de lapiaz à des gorges boisées et à des canyons comptant parmi les plus impressionnants d'Europe. Les solitudes lunaires et riches en gouffres de la Pierre-Saint-Martin répondent aux cirques dolomitiques de Lescun, d'Aspe et de la Collarada. L'élégant laccolite du pic du Midi d'Ossau (le « Cervin des Pyrénées ») et les lourdeurs granitiques du Balaïtous et du pic d'Enfer chevauchent la frontière et commandent les premières grandes vallées pyrénéennes. Une série d'ondulations calcaires débutent vers le nord et se prolongent vers l'est, tout le long de la chaîne pour constituer les petites Pyrénées septentrionales auxquelles répond au sud la houle des sierras (« sierras intérieures » et « sierras extérieures ») pittoresques, insolites et encore imprégnées d'un charme mystérieux. Au centre de la chaîne, devant les massifs étincelants de glace du Vignemale et de Gavarnie, le môle granitique du Néouvielle annonce la puissante architecture des monts Maudits, des Encantats et des montagnes de Luchon. Plus à l'est, la cape des calcaires ariégeois recouvre presque les vieilles roches cristallines d'Andorre, mais ces mêmes granites triomphent au pic Carlit dont la pyramide domine de vastes surfaces ondulées, couvertes de lacs. Vers le Roussillon et la Catalogne, le mont Canigou et ses assises compliquées bâtissent une sorte d'olympe qui règne sur les deux versants de la chaîne. Enfin, la cordillère s'achève parmi les formes usées des monts Albères qui plongent dans la Méditerranée.

Des monts et des vaux

C'est la géologie qui a donné ses structures est-ouest à cet écran de montagnes obturant l'isthme franco-ibérique. Leur orogénie résulte d'une poussée de la plaque ibérique vers la plaque continentale européenne, poussée exercée en deux temps, le premier il y a un milliard d'années (épisode hercynien), le second il y a trois cents millions d'années (épisode alpin). Ainsi sont nés successivement le vieil axe granitique de la chaîne et ses parements sédimentaires.

Mais les formes qui dominent aujourd'hui le paysage pyrénéen ne sont plus que des sommets peu individualisés, des cols toujours situés trop haut, de hautes surfaces étalant en altitude le souvenir d'anciens plateaux exhaussés par de récents épisodes géologiques ; et, devant le piémont, les plaines d'Aquitaine et du Midi toulousain sont devenues des champs d'épandage où de gigantesques glaciers ont étalé les matériaux arrachés aux montagnes.

Quant à l'aspect des grandes vallées pyrénéennes, ce sont encore les glaciers quaternaires qui en sont responsables. Perpendiculaires à l'axe de la chaîne, ces vallées présentent toutes le même profil. On y retrouve toujours, en amont, un réseau de torrents qui convergent vers

Les lances de porphyre que darde le pic du Midi d'Ossau ferment l'horizon des lacs d'Ayous.

un cirque d'origine glaciaire. Le cirque de Gavarnie est un parfait exemple de ces amphithéâtres qui ferment les vallées des Pyrénées du côté de la montagne. Vers l'aval, le rabot glaciaire a creusé la vallée. La forme en auge, typique de cette action des glaciers, apparaît rarement avec un calibrage parfait. Dans la plupart des cas (dans les Prépyrénées notamment), certaines couches géologiques composées de roches particulièrement dures ont fait obstacle au glacier, formant des clues, des verrous, en amont desquels la glace ou l'eau de fonte qui attendait de pouvoir s'écouler a élargi des bassins comme celui de Bedous en vallée d'Aspe. Le fond de l'auge est en général maintenant aplani par des cailloux qui correspondent aux moraines du fond des anciens glaciers. En outre, au-dessus des abrupts de l'auge, les plateaux suspendus au sommet des pentes doivent leur formation à des épanchements latéraux de ces langues de glace de jadis, dont l'épaisseur atteignait 500 à 600 m. Enfin, à l'extrémité en aval

Comme des arpents de Lune égarés sur la Terre, les lapiaz étalent leur surface crevassée par l'érosion. Là se cache la gueule des gouffres qui fuient vers le centre de notre planète.

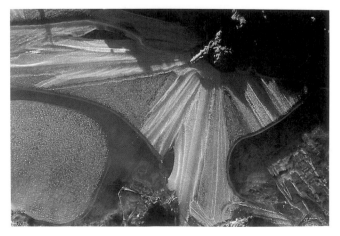

Chaque hiver, le gel renouvelle la féerie de ses architectures éphémères.

de chaque vallée, un bassin ombilical (Arudy, Lourdes) précède la moraine frontale, arc simple (Arudy) ou digité (Lourdes, Barbazan). Ce bassin est formé par des débris erratiques arrachés à la montagne.

Depuis quelques millénaires, les torrents de montagne, les rivières des vallées, la pluie, la neige, et les reliquats glaciaires sculptent dans le détail ces pentes en gorges et en rigoles à flancs de vallée, en excavations de bassins versants, en coulées, en cônes de déjection, en lapiaz, en grottes et en gouffres.

En aval des anciennes moraines frontales et au pied des premières pentes des Prépyrénées, s'étale le piémont, série de collines et de coteaux dont le relief, sculpté par les rivières actuelles, va en s'atténuant vers la plaine.

Ce modelage des vallées et des pentes par les glaciers s'est atténué avec la disparition des grands appareils glaciaires. L'évolution du relief se poursuit cependant sous d'autres formes : l'alluvionnement, qui dépose des sédiments au bas des pentes et comble peu à peu les lacs de montagne ; l'érosion, qui ronge la masse rocheuse surtout sur le versant sud où le manteau végétal protège mal les sols.

En regardant le ciel

Il n'existe pas de climat pyrénéen à proprement parler. Si l'on veut se faire une idée de cette absence d'unité climatique, il faut songer que l'extrémité occidentale de la chaîne (spécialement les collines de la Cize) compte parmi les endroits de France où les pluies sont les plus fréquentes (deux cents jours de pluie par an) tandis que son extrémité orientale (région de Font-Romeu) détient le record de France de l'ensoleillement (cinquante jours de pluie par an).

Les vents d'ouest qui commandent les types de temps en Europe occidentale créent une circulation climatique dominante sur les Pyrénées, non sans que l'effet de barrière — que produit la montagne — provoque des situations météorologiques locales très spéciales.

— Les vents qui soufflent du sud-ouest au nord-est et apportent les perturbations atlantiques déterminent un flux de sud au contact des Pyrénées. C'est l'« autan » toulousain ; le « vent d'Espagne » en Béarn ; le « balaguère » en Lavedan ; l'« haizhegua » au Pays basque. Coup de chaleur avec ciel bleu et effet de fœhn précèdent de quelques heures les rafales de pluie venues de l'ouest. Mais cette situation ne dure guère : le vent tourne au nord anticipant un refroidissement brusque et des chutes de neige jusqu'à 1 000 m d'altitude ou des déluges sur l'occident de la chaîne. Dans la vallée d'Ossau on dit de ce vent « qu'il a toujours soif ». Dans le Roussillon, au contraire, la tramontane ramène le beau temps.

— Les perturbations méditerranéennes dérivent lentement et sont parfois responsables de grosses inondations dans le Roussillon. Il en est de même en montagne si souffle le « marin », vent de sudest qui arrive de la Méditerranée.

— L'installation d'un anticyclone peut apporter soit un beau temps durable, soit des brouillards persistants en montagne. En outre, la canalisation de l'air chaud venu de la plaine dans les vallées provoque des mouvements ascendants qui, au contact de l'air froid de l'anticyclone, déclenchent des orages d'été avec des pluies brèves mais violentes.

Du fait de l'altitude, une partie des précipitations tombe sous forme de neige, entre octobre et mai. Au pic du Midi de Bigorre (altitude 2 877 m), il neige cent dix-huit jours par an en moyenne. Les fronts chauds n'amènent la neige qu'au-dessus de 900 à 1 000 m, tandis que les fronts froids la font descendre à 500 ou 600 m dans les Pyrénées occidentales. Mais les plus fortes chutes de neige sont provoquées par les flux d'air froid de nord-est. Ces flux sont canalisés par un anticyclone, couvrant le Nord de la France et prolongeant les hautes pressions d'Europe centrale, qui provoque la remontée de l'air méditerranéen et a pour conséquence directe de les refroidir

Le brouillard et la neige font aussi partie du climat pyrénéen.

et de les contracter, entraînant de fortes chutes de neige sur la montagne et le piémont, de Perpignan à Biarritz.

De surcroît, les conditions locales peuvent provoquer tantôt l'accumulation des brouillards, tantôt leur formation par un phénomène de « paroi froide », c'est-à-dire le dépôt de gouttelettes d'eau contenues dans l'air, comme se produit une buée quand on souffle sur un miroir. De même, le contact de l'air chaud et humide de la plaine et d'un air froid accumulé dans les gorges de montagne est responsable des mers de nuages qui recouvrent parfois le piémont et les vallées.

En raison de ces différences, on peut partager la chaîne des Pyrénées en trois provinces climatiques principales (et une infinité de microclimats) qui correspondent étroitement aux régions végétales.

— Les Pyrénées atlantiques et les Prépyrénées jouissent d'un climat tiède et humide. Les sommets y connaissent chaque hiver plusieurs phases d'enneigement et de déneigement. Il y a un double maximum de précipitations : au printemps (avril-mai) et en hiver (décembre-janvier), et des automnes très doux et ensoleillés (septembre-octobre).

— La haute montagne et les vallées des Pyrénées centrales se caractérisent par des contrastes climatiques considérables et d'importantes différences de luminosité. C'est ainsi que des vallées voisines peuvent connaître de gros écarts en raison de leur orientation différente, de leur position plus ou moins abritée ou encore de l'altitude. L'effet d'abri conjugué à celui de fœhn peuvent donner en haute montagne des températures moins basses que celles que laisserait présager l'altitude.

— Les Pyrénées méditerranéennes, qui s'étendent jusqu'au Pays basque, sur le versant sud, jouissent d'un climat ensoleillé en raison tout d'abord d'une faible pluviosité. Les étés y sont chauds, mais l'hiver la tramontane fait chuter les moyennes de température.

Près de 2 000 mm de pluie sur les reliefs atlantiques, moins de 800 mm en Vallespir, ces chiffres témoignent de la diversité des zones de pluviosité et, par conséquent, des régions hydrographiques dans les Pyrénées.

Le pays des eaux claires

Les rivières atlantiques et les portions inférieures des réseaux hydrographiques des Pyrénées centrales présentent des variations de débit qui sont calquées sur le régime des précipitations. Les crues rapides qui se renouvellent plu-

sieurs fois par an, avec des débits dix fois supérieurs au débit moyen du cours d'eau, correspondent aux pluies provoquées par les reliefs.

Pour les torrents de montagne, les variations du débit sont davantage liées à l'influence de la courbe des températures : les crues de printemps sont provoquées par la fonte des neiges, qui coïncide d'ailleurs le plus souvent avec la période des pluies.

Dans la zone méditerranéenne, les débits sont réduits par suite de la faiblesse des précipitations, qui est encore accentuée par une forte évaporation. On observe ici des crues d'été et des crues de printemps souvent dévastatrices.

Le ruissellement de l'eau en zone méditerranéenne provoque une érosion intense qui ravine, par exemple, les pentes du Vallespir et de l'Aragon, en dépit des efforts de reboisement déployés en France par l'Office national forêts et, en Espagne, par les services du Patrimonio forestal del Estado.

Parmi les chaumes encore jaunes de l'hiver, l'herbe reverdit dans les prés, tandis que sur les crêtes la neige tend encore pour longtemps sa cuirasse de gel. Le printemps s'éveille en vallée de Soule.

Plantes et fleurs de montagne

La couverture végétale résume les influences exercées par les facteurs physiques sur la biologie pyrénéenne. L'ensemble de cette couverture végétale peut être subdivisée en trois secteurs :

— Une **zone atlantique** qui s'étend des rives de l'Océan jusqu'au Capcir, en versant nord, et couvre le Pays basque espagnol, en versant sud. Elle se caractérise par son aspect verdoyant.

— Une **zone méditerranéenne,** plus réduite sur le versant français puisqu'elle va du Capcir à la mer, mais très étendue sur le versant espagnol où elle s'étale de la Navarre à la Méditerranée. Cette zone présente un aspect beaucoup plus aride.

— Un **secteur d'altitude,** coiffant les crêtes, au-dessus de 1 400 m d'altitude environ, sorte de désert où le roc et la neige disputent le terrain à une maigre végétation. Sur les crêtes, le tapis végétal est presque totalement inexistant. Le roc est souvent nu. Par endroits, en été, des neiges résiduelles ou même un reliquat de glace recouvrent le sol. La végétation est rabougrie sous l'effet conjugué du froid et du vent, peut-être aussi du manque d'oxygène. En revanche, la flore forme un manteau végétal continu sous la limite inférieure des neiges, qui oscille entre 2 700 m et 3 000 m d'altitude selon les régions.

A l'influence de l'altitude vient s'ajouter celle de la mer. Le secteur des Pyrénées le plus proche de l'Atlantique offre une végétation opulente, touffue, avec des forêts aux sous-bois presque impénétrables. Le contraste est complet avec le secteur méditerranéen où seules quelques gorges conservent des taches forestières importantes, tandis que la pelouse montagnarde partout rabougrie présente de nombreuses discontinuités. A l'approche de la mer, au contraire, la végétation reprend ses droits et couvre de nouveau toute la surface du sol.

En fait, il n'y a pas de limite nette entre le secteur d'altitude et la zone méditerranéenne ; la transformation de la végétation est progressive, à l'image de celle de la pluviométrie : il tombe 2 000 mm de pluie par an à une altitude de 600 m en Pays basque, mais, dans les Pyrénées centrales, il faut monter à 2 500 m pour retrouver une pluviométrie identique. De même, en allant d'ouest en est, observe-t-on une transition graduelle entre une couverture végétale de type humide et une autre de type sec. Le passage de la végétation atlantique à la végétation méditerranéenne s'opère à la faveur de secteurs de type continental, où la maigreur de la couverture végétale provient des influences de l'altitude.

Bordée par les sapins argentés du val de Jéret, l'eau de fonte qui descend des glaciers du Vignemale bouillonne près du Pont d'Espagne.

Dernières fleurs avant l'hiver, la colchique (Merendera bulbonicum) étoile de mauve les prairies de la montagne.

Chapitre II

La vie sauvage

La faune et la flore des Pyrénées présentent quatre caractères spécifiques : leur richesse exceptionnelle, l'abondance des espèces particulières, la diversité des peuplements et leurs modifications par l'homme.

Bien que l'inventaire des espèces végétales pyrénéennes soit loin d'être achevé, il révèle déjà un millier d'espèces, ce qui correspond au tiers de la flore totale de la France. En ce qui concerne la faune, les Pyrénées apparaissent comme une sorte de conservatoire génétique du fait qu'elles abritent de nombreuses espèces endémiques.

Comment les espèces vivantes ont-elles conquis les Pyrénées ?

Pour bien comprendre l'abondance des espèces particulières, il faut se représenter les Pyrénées comme un massif dressé au-dessus des plaines et de la mer et subissant leurs influences. Lorsque le climat lui est favorable, une population (végétale ou animale) étend son territoire et colonise les espaces qu'elle n'avait pas atteint jusqu'alors. Ce faisant, elle chasse de ce territoire nouvellement conquis les populations qui y vivaient. Celle-ci migrent vers des territoires où les conditions de vie leur seront plus favorables. L'expansionnisme des unes et la retraite des autres provoquent une migration des espèces qui détermine le peuplement des montagnes.

Comme l'origine de cette colonisation remonte à l'émergence du relief pyrénéen, elle oblige à prendre en considération les variations climatiques interve-

nues depuis des centaines de millénaires. La paléoclimatologie nous montre en effet que le climat a varié dans le temps, qu'il a été tantôt plus chaud, tantôt plus froid que le climat actuel. Des colonies entières de plantes auxquelles convenait un certain type de climat se sont trouvées piégées dans la montagne par suite de modifications climatiques et se sont maintenues sur place, devenant ainsi des espèces rélictes. Les colonies xéro-thermiques que l'on observe dans la flore pyrénéenne comme l'If, la Bruyère en arbre *(Erica arborea)* ou le Raisin d'ours témoignent d'anciennes périodes chaudes, tandis que les rélictes artico-alpines (la Silène ou les Androsaces) nous rapellent au contraire le souvenir des grandes glaciations quaternaires. Les peuplements actuels, en grande partie hérités des climats anciens, font des Pyrénées une réserve de véritables « fossiles vivants ».

Lithographie de 1850 représentant une chasse à l'ours dans les Pyrénées. (Bibliothèque des Arts décoratifs, Paris.)

Mais la montagne a joué aussi le rôle de refuge : des espèces dont la vie en plaine était compromise se sont réfugiées dans la montagne où les fortes pentes et les forêts épaisses leur fournissaient un abri sûr. C'est notamment le cas de l'Ours brun (Ursus arctos). Alors qu'au xve siècle, on chassait l'ours dans les collines béarnaises, aujourd'hui les ultimes représentants de cette espèce en voie de disparition se cachent au plus profond des forêts de montagne.

Espace colonisé par des espèces conquérantes, piège ou refuge, les Pyrénées abritent donc une flore et une faune particulièrement précieuses.

Par ailleurs, affirmer que la couverture végétale (et par conséquent la faune qui lui est inféodée) exprime un type de climat équivaut à proférer un lieu commun. Dans les Pyrénées où il n'existe aucune unité climatique, mais seulement une juxtaposition de microclimats, le tapis végétal offre une infinité de nuances, qu'accentue encore la luxuriance qui frappe le visiteur au premier coup d'œil, surtout dans la partie ouest de la chaîne. Dans leur ensemble, les Pyrénées sont une montagne verte.

Le touriste qui visite les Pyrénées note aussi très vite l'aspect sauvage de certaines forêts qui semblent subsister encore dans leur état primitif. Sans parler des impénétrables forêts basques de haute Soule, certaines forêts atlantiques, mais plus montagnardes comme la hêtraie-sapinière d'Herrana en vallée d'Ossau, ou même méditerranéennes comme la pinède des Bouillouses font presque figure de forêts vierges. En effet, il existe encore dans les forêts pyrénéennes des secteurs peu modifiés par l'homme. Par rapport aux plaines environnantes ou même en comparaison avec d'autres montagnes comme les Alpes, les Pyrénées ont conservé une parure plus primitive. Il ne faudrait pourtant pas en tirer des conclusions trop hâtives. Sur ces montagnes depuis longtemps colonisées par l'homme, le visage de la nature a été modifié jadis par une vie pastorale intense et durable et aujourd'hui par l'exode rural qui favorise l'expansion des friches. Plus qu'un territoire « vierge », les Pyrénées offrent un bon exemple d'une nature en sursis face au monde moderne. Et ce monde se fait chaque jour plus menaçant. Aujourd'hui le tourisme, en plein développement, vise justement les zones de montagne jusqu'alors épargnées. Dans la mesure où il consomme des espaces demeurés « sauvages », le tourisme exerce une menace sur l'écologie montagnarde. Dans les Pyrénées comme ailleurs.

Les étages de la végétation

La couverture végétale des Pyrénées se caractérise, comme celle de tous les massifs montagneux, par une succession très nette de paysages végétaux étagés en fonction de l'altitude.

A la base, le piémont est occupé par un étage collinéen qui correspond à un bocage défriché au détriment de la chênaie (chênaie atlantique vers l'ouest, avec le chêne pédonculé, le chêne tauzin, le chêne sessile ; chênaie sèche à l'est, avec le chêne vert et le chêne pubescent).

Au-dessus de ce bocage, qui occupe aussi le bas des vallées, s'étend l'étage forestier, longue couronne boisée coïncidant avec la zone des brouillards. Il est occupé par la formation de la hêtraie-sapinière en secteur atlantique et de la pinède de pin sylvestre en secteur méditerranéen.

L'altitude des différents étages est la suivante :
— chênaie : jusqu'à 850-900 m (limite supérieure),
— hêtraie-sapinière : 850-1 500 m,
— pinède à crochet : 1 500-2 100 m,
— pelouse alpine : 2 100-2 600 m,
— neige et roc : 2 600 m et plus.

On désigne par étage supraforestier tout l'espace situé au-dessus de la couronne forestière montagnarde. Cet étage supraforestier se subdivise en :
— un étage subalpin caractérisé par des forêts claires et discontinues de pin à crochet et de landes à végétation basse, évoluant insensiblement vers une forme de pelouse rase ;

L'automne rougit les myrtilliers sur le plateau de Caillan, au-dessus de Cauterets.

— un étage alpin où ne subsistent que des plantes prostrées par le froid parmi lesquelles dominent les espèces boréo-alpines.

Le peuplement végétal et animal présente des espèces communes aux différents niveaux (eury-altitudinales), comme certaines graminées ; d'autres que l'on rencontre uniquement en altitude (sténo-altitudinales) comme l'Edelweiss ; d'autres encore qui sont propres aux montagnes (orophiles) telle l'Androsace, et enfin des espèces endémiques spécifiques aux Pyrénées : par exemple, la *Ramondia pyrenaica*, belle et rare fleur des rochers riverains des torrents de moyenne montagne. Ou pour la faune, l'*Aphaenops vasconicus*, coléoptère carabique des grottes montagnardes basques, ou l'Euprocte *(Euproctes asper asperi)*, le Triton des Pyrénées, ou encore le Desman, sorte de taupe pyrénéenne.

La répartition des grandes masses végétales obéit aux influences du milieu environnant : climat, sol, ensoleillement, altitude. Ainsi la végétation des Pyrénées et de leur piémont jusqu'au plateau de Lannemezan correspond à un milieu de climat atlantique caractérisé par de fortes précipitations, la rareté des gelées, l'humidité de son atmosphère et la faiblesse des variations de température. Plus haut, la zone supraforestière connaît un climat montagnard de type européen, aux conditions extrêmes, avec 50 pour 100, de précipitations non liquides (neige, grêle) au-dessus de 1 500 m d'altitude. A l'est, le secteur à climat méditerranéen caractérisé par la faible quantité de précipitations correspond aux végétations sèches (chênaie sèche, garrigue, forêt de pin sylvestre, pelouse alpine discontinue). L'exposition des versants joue un rôle particulièrement visible à l'étage montagnard où la forêt colonise les pentes exposées à l'ombret tandis que les versants de soulane sont couverts de prairie à la même altitude. La proximité de la plaine influence à son tour la flore et la faune de la montagne voisine par des apports biologiques qui renouvellent la variété des espèces colonisant les reliefs.

Grâce à l'exceptionnelle luminosité qui règne sur ce massif, le pin à crochets pousse jusqu'à 2 700 m d'altitude dans la réserve du Néouvielle.

Dans le massif des Arbailles, au-dessus de la forêt, genèvriers, houx et conifères résistent à la bise semeuse de frimas.

Quelques lichens plaqués sur le granit, des pieds de raisin d'ours enracinés dans une fente de la pierre, à près de 3 000 m d'altitude : les végétaux colonisent la moindre roche émergeant des neiges éternelles.

Avec ses fleurs mauves et ses feuilles duveteuses, la ramondia des Pyrénées orne les recoins ombreux proches des cascades.

Sur la neige durcie du printemps, la fuite des jeunes isards ressemble à une gambade.

Une nature en équilibre

L'état d'une population végétale ou animale à un moment donné ne correspond jamais à une situation définitive. Toute population évolue à la recherche d'un équilibre entre elle-même et son milieu. Dans la chaîne des Pyrénées, le stade ultime, ou climax, vers lequel tend l'évolution, qui trace en quelque sorte l'histoire du tapis végétal, est la forêt (sauf pour les zones de haute altitude, qui représentent ici une exception). Les mécanismes qui président à l'établissement de ce climax obéissent aux variations du climat, des sols, de l'ensoleillement et de l'altitude. Cette conquête du sol nu, qui aboutit à l'élaboration naturelle d'une forêt, connaît à chaque phase de son évolution (lande, taillis et futaie) :

— une diminution de la luminosité au sol (les herbes, puis les buissons, puis les arbres formant des écrans de plus en plus épais) ;
— la transformation de la roche mère en un sol profond, à la suite de la destruction physique et chimique de cette roche par les racines et de la formation biochimique des sols ;
— des effets de microclimat très complexes et encore mal connus.

En définitive, le climax marque l'état d'équilibre entre le sol et le peuplement végétal. Dans les Pyrénées où le climat et le relief déterminent des zones très humides et à brouillards persistants, la bande forestière sera à peuplement hygrophile (hêtraie-sapinière), tandis que plus haut,

là où l'altitude commence à jouer un rôle primordial, la forêt sera représentée par le pin à crochet en peuplement lâche, parfois discontinu.

Cette évolution logique est, en principe, inexorable. Dans la réalité il en va tout autrement, car de nombreux facteurs extérieurs à son mécanisme et notamment l'action de l'homme viennent la remettre en cause.

Cette évolution s'accompagne d'une adaptation des espèces animales aux conditions du milieu. Le Lagopède, par exemple, présente un mimétisme qui lui sert de camouflage dans l'étage alpin (dépourvu de cachettes) où il vit, et l'épaisseur de son plumage d'hiver (qui emmitoufle ses pattes) adapte cet oiseau au froid et à la neige qui règnent l'hiver sur son territoire. A chaque étage de végétation correspond une population animale qui lui est inféodée. Toutefois leurs facultés d'adaptation aux variations que peuvent connaître les facteurs physiques de l'environnement permettent à ces espèces de survivre en cas de modification importante de leurs conditions de vie. C'est ainsi que la disparition de certains grands glaciers qui avaient couverts les Pyrénées basco-béarnaises au quaternaire a obligé les insectes qui vivaient en bordure de ces glaciers à se réfugier dans l'humus, puis dans les interstices de la roche, puis enfin au fond des cavernes qu'ils ont fini par coloniser pour y retrouver un milieu froid et humide qui leur convenait.

Halte au massacre !

La situation actuelle de la flore et de la faune pyrénéennes correspond à un équilibre fragile. La modification du milieu par l'homme peut entraîner la disparition de certaines espèces en supprimant un des éléments essentiels de leur survie.

Chaque élément d'un milieu naturel y joue son rôle particulier et a des interactions complexes avec les autres éléments, leur ensemble constituant le biotope d'un certain nombre d'espèces. Modifier le

Le vautour fauve, reconnaissable à sa colerette blanche et à ses rémiges espacées, glisse en vol plané au-dessus du bocage pyrénéen.

Proche parent des salamandres, l'euprocte des Pyrénées, au corps parfois taché de jaune, vit caché sous les pierres des torrents. Il sort la nuit pour chasser les insectes et les larves dont il fait son menu.

Champion du camouflage, le lagopède possède un plumage dont la couleur varie trois fois par an pour s'accorder avec le milieu où vit l'oiseau. La livrée de celui-ci adopte la teinte des rochers.

Le bouquetin n'a pas complètement disparu des Pyrénées. Il en reste quelques couples sur le versant espagnol. Mais, habitués à se dissimuler, ils sont difficiles à voir. Heureusement, leur curiosité et la longueur de leurs cornes trahissent parfois leur présence.

biotope d'une espèce équivaut à compromettre l'existence de cette espèce, ce qui revient, par le jeu des interactions, à menacer l'écosystème pyrénéen dans son ensemble. De nombreuses espèces végétales sont aujourd'hui en voie de régression dans les Pyrénées. En tête de liste de ces plantes en sursis, il faut inscrire le beau Lys des Pyrénées ou encore son proche parent le Lys Martagon. Mais le tableau est encore plus sombre en ce qui concerne la faune. Le dernier Loup des Pyrénées a été abattu en 1929. La survivance du Lynx (*Lynx lynx*) est controversée par des auteurs sérieux, en dépit de quelques observations incontestables (par l'auteur de ce livre en particulier). S'agit-il d'une forme endémique sédentaire ou de la présence d'individus en déplacement ? En ce qui concerne l'Ours, sa population est en diminution constante depuis trois quarts de siècle, passant de 150 individus en 1910 à 14 ou 18 individus en 1979. Cette diminution a sûrement atteint un seuil irréversible et condamne sans doute l'espèce à disparaître.

En revanche, les dispositions prises dans le cadre des actions du parc national des Pyrénées ont, semble-t-il, enrayé la régression, elle aussi presque définitive, de certains grands rapaces du ciel pyrénéen, et notamment du Gypaète barbu, le géant de l'avifaune européenne.

De même l'Isard, espèce hier menacée, est actuellement en pleine expansion à la suite de la protection dont il bénéficie désormais.

Le Bouquetin des Pyrénées et la Marmotte ont disparu sur le versant français de la chaîne.

Le World Wildlife Fund envisage de réimplanter le Bouquetin à partir de souches qui existent encore en Espagne.

Quant à la Marmotte, elle a été réintroduite avec succès dans le Capcir et en divers points du parc national français des Pyrénées.

Mais on peut s'interroger sur le bienfondé d'une telle politique de réintroduction où l'homme se substitue — même avec les meilleures intentions du monde — à des mécanismes naturels.

Deux espèces rares et protégées. A gauche, le lys des Pyrénées, joyau de la flore locale, pousse dans les clairières cernées de sapins. A droite, le gypaète barbu est le géant de l'avifaune pyrénéenne. Grâce à ses ailes, dont l'envergure peut atteindre 3 m, ce vautour peut planer très haut dans le ciel.

Chapitre III
L'homme et sa montagne

L'écosystème pyrénéen ne saurait se réduire aux éléments propres au milieu naturel. Une esquisse fidèle des Pyrénées doit aussi tenir compte des modifications que l'homme a fait subir à son environnement au cours d'une implantation qui remonte à plusieurs centaines de milliers d'années.

Les hominiens se sont installés sur les premiers contreforts des Pyrénées, à Tautavel (où une grotte, la Caoügno de l'Arago, leur a servi d'habitat, comme le révèlent actuellement les fouilles des archéologues), depuis 450 000 ans. Mais la conquête des vallées n'a commencé qu'avec le retrait des grands glaciers quaternaires, il y a environ 10 000 ans. De petits groupes d'hommes se sont alors installés dans le fond des thalwegs. Ils ont défriché quelques lopins autour de leurs huttes, tandis que d'autres domestiquaient les brebis et les menaient paître la pelouse montagnarde pendant l'été.

A Montbolo (Pyrénées-Orientales), les couches archéologiques montrent ce passage de la cueillette à la production

Depuis des millénaires, les bergers conduisent leurs troupeaux brouter l'herbe de la montagne. A l'heure du repos, les brebis se réunissent autour de la cabane. Près du port de Larrau, en haute Soule, la bergerie d'Erroymendi tombe en ruine, mais les brebis s'entassent toujours contre ses murs.

23

Page suivante. Cerné par le damier des prés et des champs, le village de Bilhères-en-Ossau s'étale sur la pente pour profiter au maximum de l'ensoleillement qui fait fondre la neige tardive.

Bâti en soulane, les façades de toutes ses maisons tournées vers le Midi, le village d'Aydius ressemble à une pile solaire.

En ces pays d'élevage, la récolte du foin est la grande affaire de l'été. Il faut profiter des beaux jours pour faire sécher l'herbe coupée, faner, puis charger le char du foin tandis que les bœufs paisibles attendent, le front protégé des mouches par la « mante ».

qu'effectuèrent les premiers habitants des montagnes. Ensuite, au fil des siècles, la marque humaine a progressivement modelé le paysage. Dans le fond des vallées, les surfaces cultivées élargissaient leurs auréoles tandis que des réseaux de chemins sillonnaient les pentes pour relier la vallée aux premières crêtes et à la « route du sel » qui longeait le piémont. L'originalité des paysages pyrénéens réside dans cet équilibre entre l'homme et la montagne. Entre l'état « sauvage » et un aménagement humain séculaire s'est établie une harmonie qui, ajoutée aux facteurs naturels et aux communautés vivantes, complète le tableau écologique de la chaîne.

Encore faut-il bien distinguer les influences de l'économie traditionnelle, toujours intégrée dans son environnement, et l'impact brutal de la révolution industrielle et urbaine sur le milieu montagnard.

Durant trois mille à quatre mille ans le piémont a vu triompher une économie à dominante agricole. C'est elle qui est responsable du défrichement de la chênaie : peu à peu le bocage, où alternaient la polyculture et la prairie d'élevage, est venu se substituer à la forêt. Mais, dans les vallées, les Pyrénées ont surtout vu s'épanouir une civilisation rurale fondée sur l'élevage. Chaque vallée était alors un monde clos où s'organisait une société fortement hiérarchisée et tournée vers l'élevage des moutons. L'assemblée de la vallée répartissait les tâches des individus, mais le but de tous demeurait l'exploitation judicieuse d'un environnement difficile. Les versants des vallées, la forêt et les « estives », tout l'espace montagnard fut compartimenté et affecté à un usage précis. Rien n'était laissé au hasard dans cette occupation traditionnelle des sols. Aujourd'hui encore les paysages pyrénéens résultent de cette gestion minutieuse de l'espace menée par les habitants durant des millénaires.

Les travaux et les heures

Même si, au premier coup d'œil, on ne distingue pas toujours les effets de l'intervention humaine dans l'occupation des sols, il faut songer que celle-ci a été aussi complète que possible dans le système économique traditionnel. Seule échappait à cette mise en valeur la zone de haute montagne, dont les rocs et la neige étaient jugés trop stériles.

Bien que la pression exercée par l'économie urbaine ait tendance à modifier la trame de ces paysages, l'organisation fondamentale de l'espace pyrénéen est encore fixée à l'heure actuelle par des siècles d'usage.

Pour bien comprendre cette organisation, il convient de distinguer l'occupation des sols sur le piémont et l'adaptation de ce découpage de l'espace aux conditions particulières des vallées et de la montagne.

Sur le piémont, deux types de paysages occupent l'espace :
— les terroirs de village, qui comportent un secteur de champs ouverts et des landes plus ou moins défrichées ;
— les habitats dispersés qui s'éparpillent au milieu du bocage à larges mailles, coupé de brise-vent qui sont des reliquats de l'ancienne forêt de chêne.

Dans les vallées et la montagne, l'occupation des sols obéit à des impératifs dictés par l'altitude.

Dans les fonds de vallées et sur les versants exposés au soleil, l'habitat demeure groupé en villages autour desquels s'auréolent les terroirs de labours et de fauche.

A la lisière inférieure de la hêtraie, l'étage des granges grignote la forêt pour lui substituer un bocage qui entoure des prairies ; là, les troupeaux transhumants peuvent faire étape au printemps lorsqu'ils montent du piémont où ils ont hiverné et à l'automne quand ils descendent des « estives ».

L'étage forestier a été moins exploité qu'on ne l'a prétendu. Cette exploitation a tout de même ravagé des secteurs boisés entiers, notamment pour fournir des mâts à la construction navale et du combustible à la métallurgie naissante, aux XVIIe, XVIIIe et XIXe siècles.

A l'étage supraforestier, tout l'espace recouvert d'un tapis végétal — qu'il s'agisse de la forêt de pin à crochet, des landes à rhododendrons ou des pelouses à graminées — coïncidait avec l'estive, ainsi dénommée parce que cette zone accueillait les troupeaux en été. Elle représentait un capital majeur pour l'économie à dominante pastorale qui régnait dans toutes les vallées. Les chartes nous apprennent que, de temps immémoriaux, ces précieuses estives faisaient l'objet

Jadis les paysans de Bigorre venaient vendre leur bois à Tarbes.

d'une gestion collective de la part des villages d'une même vallée. La transhumance y rythmait les saisons. Le bétail, composé essentiellement de moutons, hivernait dans le piémont, voire dans la plaine de la Garonne ou celle du Languedoc. Il remontait en mai et juin, faisant étape dans l'étage des granges. Les troupeaux, plusieurs milliers de brebis pour chaque vallée, séjournaient sur les estives de juin à septembre. Leur pacage obéissait (et obéit encore aujourd'hui) à une répartition et à un calendrier précis, fixé par le syndicat pastoral de la vallée. En septembre s'amorçait la transhumance en sens inverse, qui ramenait les troupeaux vers le piémont.

Au-dessus des estives, la zone du roc et de la neige était considérée comme improductive par l'économie traditionnelle. En revanche, l'estive a été très exploitée car elle constituait la principale richesse de la vallée. Le pacage permanent, durant plusieurs millénaires, des brebis dont les dents coupent l'herbe très rase a apporté deux modifications au milieu supraforestier pyrénéen : la forêt de pin à crochet a souffert du passage des troupeaux et de l'écobuage au point de disparaître par endroits ; en outre, le pacage sélectif des bêtes a provoqué un appauvrissement du nombre des espèces végétales qui s'est accompagné d'une conquête progressive de la pelouse par les fétuques, parce que ces plantes étaient les plus résistantes au passage des troupeaux.

En dépit de ces modifications inévitables, l'économie traditionnelle est toujours restée respectueuse d'un environnement dont dépendait la vie et la survie des hommes. Inscrit dans son milieu naturel, le Pyrénéen vivait en accord avec cette nature, et rien ne saurait mieux en rendre compte que son habitat ou sa gastronomie.

La maison de toujours

Dans ces zones montagneuses où, en général, l'eau n'est pas rare, ce ne fut pas son voisinage qui détermina les

Scène de la vie pastorale dans les Pyrénées. Le berger, béret en tête, sabots aux pieds, donne du sel à lécher à ses brebis. Tableau de Rosa Bonheur (1899).

Pages suivantes. Au pied du pic d'Anie, Lescun compose un paysage typique des Pyrénées occidentales avec ses maisons robustes coiffées d'ardoises.

hommes à fixer leurs maisons et leurs villages dans un endroit plutôt que dans un autre, sauf dans les arides sierras du piémont sud où la présence d'un puits ou d'une source joua un rôle déterminant.

En revanche, le relief a tenu un rôle essentiel. Sur le piémont nord ainsi qu'aux extrémités basque et catalane de la chaîne où le relief présente des formes arrondies, l'habitat a eu tendance à se disperser. Au contraire, dans les vallées où les emplacements commodes étaient rares, l'habitat s'est groupé en villages ou en hameaux. Le lecteur remarquera que les villages sont bâtis de préférence dans le fond de la vallée ou, mieux encore, sur un replat, à flanc de vallée, en soulane, afin de bénéficier d'une exposition favorable et de ne pas occuper les bonnes terres alluviales que l'on destine à l'agriculture.

D'un bout à l'autre de la chaîne, et quelle que soit sa répartition, l'habitat pyrénéen a utilisé tous les matériaux fournis par la nature ; de ce fait, il constitue un excellent reflet de l'environnement naturel. Quelle que soit sa typologie, il est toujours massif pour lutter contre les intempéries.

Dans la zone axiale, là où les couches de schiste ardoisier affleurent, les toits seront couverts en ardoise.

Dans le piémont, les hommes ont mis à profit les argiles accumulés par les alluvions glaciaires pour fabriquer des tuiles. La pierre sèche appareillera les murs (recouverts ou non de crépi) dans les secteurs les plus montagneux, où la nature fournit des moellons naturels.

En revanche, dans le fond des vallées, on était obligé d'utiliser les galets ronds puisés dans le lit des gaves, et, dans le piémont, où les moraines villafranchiennes sont riches en galets, les murs réunissent ces galets dressés en « feuilles de fougère » liées par du ciment.

Dans le piémont encore, la chênaie fournit le matériau des colombages qui, une fois peints de couleurs vives, tranchent sur la blancheur des murs pour donner à l'etché basque son aspect si pimpant.

Dans le bas des vallées, où les calcaires secondaires ferment de leurs clues les premiers bassins, la porte de la maison, sur le versant français, sera surmontée d'un linteau de « marbre » sculpté, à partir d'un bloc tiré d'une carrière ouverte dans cette couche de calcaire dur. Sur le versant méridional où l'on est fier d'être « fils de quelqu'un », le calcaire blanc des couches éocènes fournira la matière d'un blason de « caballero » affichant les armoiries de chaque famille au-dessus de la porte principale du « caserio ».

En montagne, sur l'estive, les cabanes de bergers, « cayolars » basques, « cujalas » béarnais ou bigourdans, « orris » ariégeois et catalans offrent toute la gamme des huttes en pierre, dont les techniques de construction sont sans doute héritées de la Préhistoire.

Les Pyrénées à table

L'enchaînement des causes et des effets qui fait dépendre les étages végétaux de l'altitude et du relief se prolonge en direction de l'homme par l'intermédiaire de la chaîne alimentaire. La chênaie des piémonts fournit des glands dont se nourrissent les porcs qui servent de base à l'alimentation des populations vivant dans ces collines ou dans le fond des vallées. Plus haut, sur la pelouse montagnarde, paissent les brebis qui fournissent à l'homme leur lait et leur viande. Le soleil qui darde favorise la vigne dont les ceps trouvent les sols qui leur conviennent sur les débris morainiques. Rivières, torrents et lacs possèdent des eaux assez oxygénées pour qu'y vive la truite, voire le saumon. Enfin, les forêts de montagne servent d'abri permanent ou saisonnier aux gibiers sédentaires ou migrateurs.

La cuisine pyrénéenne a su tirer parti de ces ressources naturelles. Quotidiennement présent au menu domestique, le porc a donné lieu à des productions dont la notoriété a dépassé le cadre du terroir. C'est le cas, par exemple, des charcuteries catalanes (les célèbres « embutidos » de Cerdagne) ou du jambon de

Vers 10 heures, l'heure du casse-croûte. Aujourd'hui comme autrefois, le maître de la maison trouve sa table servie près de l'âtre. Seule a changé la forme du pain.

Bayonne confectionné avec les cochons du Béarn et du Pays basque, salé à l'origine avec du sel gemme de Salies et portant le nom de leur port exportateur. Dans les fermes du piémont, les foies gras (de canard et d'oie), les confits (de volaille ou de palombe), mis en conserve à la fin de l'automne, réjouissent les convives lors des fêtes carillonnées. Ils complètent la savante alchimie qui préside à l'élaboration de soupes locales, « puchero » aragonais ou « garbure » béarnaise, où les légumes et la viande

L'étal d'un charcutier à Espelette. On distingue des produits typiques du Pays basque : le jambon au safran et les palombes.

viennent se fondre et harmoniser leurs saveurs dans une onctuosité délicate.

Des produits de l'estive proviennent les grillades de mouton et d'agneau, mais aussi la grande variété des fromages pyrénéens et notamment des « pur brebis » dont les vallées d'Ossau, d'Aspe et de Roncal assurent encore la production.

La richesse un peu lourde de ces spécialités appelle des vins corsés et bouquetés ; ceux précisément que fournissent les vignes de ces terroirs. Quel meilleur vin rouge choisir pour accompagner ces charcuteries que ce pacherenc que les connaisseur chambrent à la fumée de la garbure ? Quel fumé plus délicat que ces vieux jurançons « vin des rois, roi des vins », comme le prétendait déjà le roi Henri IV ? Et que dire de ces explosions de goût qu'une gorgée de banyuls provoque dans le palais ? Que dire des suavités baroques que l'on découvre en buvant les puissants somontano à la robe profonde ?

Autant dire que, d'un bout à l'autre des Pyrénées, s'alignent des terroirs où le bien-manger et le bien-boire ne sont pas encore devenus de vains mots.

Ainsi, les éléments de la nature et l'histoire des hommes se sont combinés pour former une longue série de « pays », dont les nuances animent et renouvellent le camaïeu montagnard des Pyrénées.

Si les reliefs tracent parfois des frontières nettes autour de ces « pays » — les montagnes cernant une vallée, par exemple —, les limites de ces petits territoires sont moins évidentes en ce qui concerne les collines. Là, aucun indice particulier ne marque le passage d'un « pays » à un autre, et le visiteur peut s'y tromper alors que les habitants, eux, savent parfaitement à quel « pays » ils appartiennent. Comme l'écologie de terrain c'est aussi (et peut-être est-ce surtout) le contact avec les habitants du terroir, il paraît indispensable d'avoir présent à l'esprit la liste des « pays » où le touriste ne fait que passer, mais où les habitants vivent en permanence.

Accroché aux premières pentes des monts Albères, le vignoble de Banyuls aligne ses ceps non loin de la mer.

« Oh! mon pays... »

Haut Labourd : Cet arrière-pays de la Côte basque est un territoire de collines aux formes arrondies, où la végétation, celle des landes ou des champs de maïs, porte la marque des vents venus de l'océan.

Basse Navarre : Le verdoyant bassin de Saint-Jean-Pied-de-Port s'y trouve cerné au sud par les premiers massifs montagneux souvent battus par les pluies atlantiques, au nord par des collines couvertes de landes.

Soule : La vallée du Saison et son rameau de gorges sauvages dissimulent, sous une hêtraie particulièrement épaisse, des torrents aux eaux claires, qui descendent des contreforts du pic d'Orhy vers les collines de Mauléon.

Barétous : Dans cette vallée, le bocage riant, qu'arrose le Vert, contraste avec les zones désertiques du lapiaz, qui s'étend autour de la Pierre-Saint-Martin.

Aspe : Des cirques d'Aspe et de Lescun jusqu'à Oloron s'étire une vallée encaissée où se succèdent les bassins agricoles et de sombres clues.

Ossau : De hautes montagnes comme le Balaïtous ou le pic du Midi d'Ossau dominent une vallée d'abord sauvage, puis modelée de façon particulièrement harmonieuse. Sans doute est-ce la plus typique des vallées pyrénéennes atlantiques !

Collines béarnaises : Un terroir où tout fait penser à la douceur de vivre, qu'il s'agisse des formes du paysage, du climat ou du camaïeu des cultures parmi lesquelles la vigne (Jurançon) le dispute au maïs.

Lavedan : Cette vallée encaissée dessert deux des sites les plus prestigieux des Pyrénées (Cauterets avec son Pont d'Espagne et le lac de Gaube ; Gavarnie avec son fameux cirque) et conduit aux territoires de la haute montagne pyrénéenne la plus accessible au touriste.

Vallée de Campan : Un terroir agreste y occupe une vallée moins étroite que ses voisines, laissant à l'agriculture la place nécessaire pour se développer.

Pâtres à Tramezaigues, dans la vallée de Campan.

Chasseur d'isards en vallée d'Ossau.

À l'époque romantique, la diversité des costumes pyrénéens a fasciné les artistes venus « prendre les eaux » dans les stations à la mode. Les albums réunissant des types et costumes locaux se sont multipliés, à l'instar du célèbre recueil publié par Édouard Pingret en 1833, dont sont tirées ces lithographies. (Coll. P. Minvielle.)

PYRÉNÉES.
Pâtres du village de Gripe, Vallée de Campan

PYRÉNÉES.
Basques du village de Lanne, Vallée de Barétons

À gauche. Pâtres de la vallée de Gripp.

Ci-contre. Dans une auberge en Barétous.

Contrebandier venasquais.

Paysanne du village de Gripp.

Chasseur d'isards sur la Maladeta

Paysan des environs de Bagnères-de-Luchon et femme de la vallée de Louron.

Baronnies de Bigorre : Dans ce territoire secret aux communications difficiles, la cape verdoyante des prairies recouvre un relief karstique dont la présence est dévoilée par la silhouette escarpée de la moindre éminence.

Vallées de la Neste d'Aure et du Louron : Dans ces deux vallées, les hêtraies et les sapinières forment d'épais et superbes massifs.

Vallée de Luchon : Une vallée large, la seule des Pyrénées où l'on devine la forme en auge d'origine glaciaire, qui s'enfonce en direction des plus hautes cimes de la chaîne. Mais la frontière rejette en territoire espagnol le massif culminant : celui de la Maladeta-Aneto (3 404 m).

Comminges : Les calcaires du front nord-pyrénéen sculptés par l'érosion servent ici de soubassement à d'épaisses forêts, au pied desquelles s'étalent timidement quelques cultures.

Couserans : Tardivement ouvertes à la circulation et encore difficiles d'accès, les vallées du Couserans conservent plus que d'autres un cachet primitif. Bethmale y a longtemps fait figure de monde perdu. Les épaisses hêtraies d'alentour abritent les derniers ours de l'Ariège.

Sérou et Arize : Le plissement des petites Pyrénées, bordant les Pyrénées proprement dites, est couvert d'une chênaie sèche qui annonce déjà la Méditerranée. Ce relief fait obstacle aux rivières qui le traversent par des cavernes comme celle du Mas-d'Azil.

Pays de Foix et Sabarthès : Le cours de l'Ariège et de ses affluents s'y encaissent dans des gorges, dominées par des pitons calcaires couverts d'une maigre chênaie, où béent d'énormes cavernes.

Haute Ariège : Un secteur de montagne que domine le pic d'Estats et le Montcalm. Ici l'aridité de type continental sert de transition entre le climat atlantique et le climat méditerranéen.

Pays d'Olmes : Sur les grands entablements que la géologie y a disposés, ce territoire présente les premières barrières d'Ifs, annonciatrices du climat méditerranéen.

Sault et Donezan : A cause d'une tectonique compliquée, des gorges profondes s'inscrivent dans le sol, séparant des môles tantôt granitiques, tantôt calcaires. Souvent ces surfaces sont couvertes par des sapinières particulièrement spectaculaires.

Haute vallée d'Aude et Capcir : Dans ce « pays », le premier où l'influence méditerranéenne se fait nettement sentir, les chênaies sèches et les pinèdes apparaissent. En haute montagne, le désert de Carlit abrite un curieux semis de lacs, que l'on nomme ici des étangs.

Corbières : Un massif calcaire isolé sert de transition entre la montagne pyrénéenne et la plaine du Languedoc, la vigne y occupe la majeure partie des terres cultivées et la garrigue couvre le reste du terrain.

Cerdagne : Entre les pics du Carlit et du Canigou, ce secteur de la haute vallée de la Têt est l'une des zones les plus ensoleillées de France. Elle renferme cependant de belles pinèdes.

Fenouillèdes : Ce plissement calcaire, sorte d'avant-mont des Pyrénées, coupé de clues profondes, se couvre de garrigue et de lande à lavandin. Le secteur tire son nom du Fenouil, qui abonde dans les jardins.

Conflent et Vallespir : Ces deux profondes vallées d'origine tectonique, celle de la Têt et celle du Tech, cernent la haute pyramide du mont Canigou, sur les pentes duquel s'accrochent les sapins les plus orientaux des Pyrénées. Plus bas sur la pente, l'étage forestier, très dégradé, n'est plus qu'un simple maquis.

Mont Albères : Sur de vastes espaces ondulent des montagnes granitiques aux altitudes modestes et aux reliefs usés. La vigne (Banyuls, etc.) couvre le bas des pentes tandis que la garrigue occupe les crêtes. Et la Méditerranée s'étale à leur pied.

« Tras los montes »

Haut Ampurdan : Le versant sud des monts Albères forme un amphithéâtre de montagnes cernant la vaste plaine de l'Ampurdan. C'est un paysage agreste où des troupeaux de vaches paissent des prairies artificielles et où l'habitat se disperse comme pour rappeler les Pyrénées basco-navarraises, mais en plus latines. Ébréchant ces crêtes, des cols s'ouvrent largement. Par là passèrent les éléphants d'Hannibal qui cheminaient vers Rome, et, dans l'autre sens, toutes les invasions qui pénétraient dans le cul-de-sac ibérique.

Garrotxa : Ce vaste secteur que l'on pourrait fragmenter à l'infini tant il est varié, va des volcans d'Olot aux crêtes des Pyrénées catalanes en passant par les arides sierras de Montfalgars, les Terrafort rougeâtres, les vastes vallées tributaires du Fluvia où s'étalent les labours et les prairies d'élevage.

Le Ripollès : Un pays de montagnes âpres, de gorges sévères, tapissées de maquis où se cachaient jadis les terribles bandes de Miquelets, cerne les riches bassins de Ripoll et de Campdevanol.

Llobregat et Cardoner : Deux vallées d'autant plus riantes qu'elles contrastent avec les montagnes voisines aux taillis inextricables. Là pointe la célèbre montagne de sel de Cardona.

Sierra del Cadi : Un nom oriental, bien adapté à ce désert de roc fendu de gorges impénétrables.

Urgelet et Cerdanya : Un passé historique, une économie agricole avec de grands champs de culture, de nombreux troupeaux bovins et la station de ski de Super-Molina traduisent le dynamisme de ce « pays » incrusté entre les Pyrénées et les sierras.

Andorre : Autour d'une capitale souk, de hautes montagnes ceinturent un ensemble de vallées perdues et verdoyantes où se blottissent de pittoresques villages souvent dominés par un clocher lombard, comme pour rappeler que cette principauté tira son originalité du relief bien avant de devenir une curieuse survivance de la politique médiévale.

Aran : La haute vallée de la Garonne et de ses affluents ressemble à la vallée de Luchon, sa voisine, avec ses vieux villages aux toits d'ardoise, son bocage et ses prairies. Rattachée à l'Espagne par des accords de chancellerie, elle en est séparée par deux des plus hauts massifs des Pyrénées, celui des Monts-Maudits, où la Maladeta et l'Aneto sont couverts de glaciers, et la sierra de Montarto dont la splendeur lacustre a valu son classement en parc national.

Pallars : Le riche bassin de Tremp achève vers l'aval l'étroite gouttière de la noguera Pallaresa, entrecoupée de barrages hydro-électriques, qui draine l'autre partie du parc national d'Aïgues Tortes où la sierra des Encantats veille sur la nappe émeraude du lac de San Mauricio, peut-être le plus beau des Pyrénées.

Ribagorza : Les nombreux ouvrages hydro-électriques qui font de cette vallée une sorte de Tenessee espagnol exploitent l'énergie de la noguera Ribagorzana, c'est-à-dire les eaux descendues des mille lacs du parc national d'Aïgues Tortes.

Sierra de Guara et autres sierras extérieures : Au nord de Huesca, un chaînon formé de plateaux et de crêtes où règne une désertification maintenant presque complète dissimule des canyons comme le barranco de Mascun et des monolithes comme les mallos de Riglos dont le tourisme commence à découvrir l'étrangeté.

Sobrarbe : Deux lignes de hautes montagnes se partagent ce « pays ». Au nord, ce sont les grands massifs du Posets, du Mont-Perdu et du pic d'Enfer, qui comptent parmi les principales sommités de la chaîne. De profondes vallées glaciaires s'y enfoncent : Pinède, Niscle et surtout la superbe vallée d'Ordesa, « le Colorado des Pyrénées », érigée en parc national. Au sud, le Turbon, la peña Montañesa et la peña de Oroel forment un chaînon discontinu des sierras intérieures. Entre ces deux lignes de sommets se creuse un large fossé depuis longtemps conquis par l'agriculture et l'élevage.

Jacetania : Ce « pays » dont la capitale est Jaca accuse les caractéristiques déjà soulignées à propos du Sobrarbe : la ligne des montagnes de la frontière, aux vallées très irriguées (Broto, Canfranc), séparée des sierras intérieures (où se cache le monastère de San Juan de la Peña) par un large fossé, le canal de Berdun et la plaine de Jaca à Sabiñanigo, sorte de Grésivaudan pyrénéen, riche d'une agriculture florissante et d'une implantation industrielle considérable.

Haute Navarre : Les montagnes

Venasquais et Vénasquaise.

Pâtres de la vallée d'Aran.

Contrebandier.

Lithographies tirées de l'album « Costumes pyrénéens » d'Édouard Pingret (coll. P. Minvielle).

Faucheur et marchande de fraises à Gèdre. Lithographie par E. Pingret (coll. P. Minvielle).

verdoyantes qui se chevauchent au nord de Pampelune jusqu'au col de Velate sont tronçonnées par des vallées creusées par de vigoureux torrents : vallée d'Isaba, du Salazar, d'Irati, d'Urrobi (Roncevaux), d'Erro et de l'Arga. Ici recommencent les grandes forêts atlantiques où le hêtre et le sapin profitent de l'humidité qui règne en montagne.

Haute Guipuzcoa : Les montagnes qui s'arrondissent autour de la vallée du Bastan (où coule la Nivelle) et de la Bidassoa se font aussi vertes que l'océan dans lequel elles finissent par plonger. Des fermes pimpantes sèment leurs taches de couleur pour compléter ce tableau basque.

Les vallées à l'heure des villes et de l'industrie

Les premières atteintes graves à l'environnement pyrénéen remontent aux XVIIe et XVIIIe siècles. Le besoin de fûts bien droits pour les mâtures de la marine à voile et les débuts de l'exploitation

Le ski suscite un grand espoir dans les vallées pyrénéennes. La station de Louron, proche de Saint-Lary, s'efforce elle aussi d'exploiter l'« or blanc ».

industrielle locale du minerai de fer — en Ariège notamment — nécessitaient de grandes quantités de bois de chauffage et portèrent des coups très rudes à la hêtraie-sapinière, allant jusqu'à anéantir totalement des secteurs forestiers. Avec l'introduction d'activités économiques, dont les centres de décision étaient déjà extérieurs aux Pyrénées et à l'écosystème pastoral, s'amorçait une exploitation qui constituait une menace pour le milieu naturel.

Ces premiers dommages étaient pourtant peu de chose en comparaison des ravages actuels. Le choc entre l'économie industrielle et urbaine, d'une part, et l'économie traditionnelle, d'autre part, aboutit sous nos yeux à l'effondrement de la civilisation pastorale pyrénéenne et à une modification profonde de l'écosystème qui lui correspondait. L'attrait de la ville frappe essentiellement les jeunes à la recherche d'un travail. Le départ des jeunes diminue la partie active de la population et entraîne son vieillissement. Dès lors, un agriculteur qui meurt n'est pas remplacé et son exploitation retourne à la friche. Sur le plan démographique, la population active des vallées pyrénéennes, qui ne représente que cent trente mille personnes, a perdu dix mille personnes en sept ans, essentiellement des agriculteurs et des bergers qui constituent les véritables « jardiniers de la montagne ».

Ce dépeuplement entraîne la régression de l'agriculture et l'extension des friches, mais aussi une transformation de l'économie agricole. Sur toute l'étendue des Pyrénées, les agriculteurs recherchent maintenant des productions demandant peu de main-d'œuvre.

C'est ainsi que dans le piémont, l'introduction des maïs hybrides après la Seconde Guerre mondiale, a conduit les agriculteurs à modifier leurs cultures. Les surfaces consacrées au maïs gagnent du terrain au détriment d'autres cultures, mais aussi des landes et des bosquets de chênes.

La destruction des bosquets qui jouaient un rôle de brise-vent n'est pas sans conséquence pour les équilibres naturels. Certaines bourrasques qui ravagent les forêts et les toitures sont peut-être la conséquence directe de cette modification apportée au paysage.

De même, l'élevage des vaches (qui fournissent du lait et des veaux) supplante rapidement l'élevage des brebis, à l'intérieur des vallées. Cette modification introduit de nouveaux besoins : l'élevage des vaches nécessite davantage d'herbages pour faire pacager les bovins, ou pour fournir le fourrage d'appoint qui permet de nourrir les bêtes dans les étables, en hiver. Par voie de conséquence, le paysage des vallées tend à se modifier au profit d'herbages artificiels. On a même parlé, à ce propos, de « révolution herbagère » pour définir cette prolifération actuelle des champs de luzerne et de trèfle, qui couvrent peu à peu le flanc des vallées. Pour si utile qu'elle soit à l'économie moderne, cette transformation porte un coup sévère au milieu puisqu'elle tend à supprimer les herbages naturels, riches en associations végétales complexes, au profit d'herbages où une seule espèce est privilégiée.

A l'étage forestier, des coupes « dures », mais aussi et surtout l'établissement de centaines de kilomètres de routes forestières d'exploitation, les coupures destinées à favoriser le passage des lignes électriques ou des pistes de ski aboutissent à compartimenter la hêtraie-sapinière.

Il ne faut pas chercher plus loin d'autres explications à la disparition d'espèces comme l'ours ou le grand coq de bruyère, qui sont étroitement liées à ce biotope particulier.

5 stations de ski dans les Pyrénées-Atlantiques, 12 dans les Hautes-Pyrénées, 4 en Haute-Garonne, 6 en Ariège, 1 dans l'Aude, 11 dans les Pyrénées-Orientales, au total 41 « usines à neige » font peser une très lourde menace sur l'étage supraforestier où la pelouse est labourée par les « scrapers » et les pelleteuses chargées de niveler les pistes et d'en régulariser les reliefs. Sans parler de l'esthétique douteuse qui préside trop souvent à l'élaboration de ces stations, un préjudice grave est porté à la couver-

ture végétale. Le tracé de certaines pistes de ski constitue en effet un véritable encouragement à l'érosion et un non-sens écologique.

Par ailleurs, l'économie des loisirs déverse sur les Pyrénées un flux touristique sans cesse croissant, en hiver comme en été, qui fait peser une pression démographique saisonnière redoutable pour le milieu naturel. Un recensement effectué pour la seule vallée d'Ossau donne le chiffre de quatorze mille touristes par jour durant l'été 1977, répartis sur treize sites seulement. Il va sans dire que le produit touristique « Pyrénées », fondé sur des richesses naturelles, risque de pâtir gravement des effets d'une fréquentation aussi excessive. Il est grand temps d'intégrer les valeurs écologiques dans l'étude de l'impact des aménagements et dans l'estimation du coût global des stations pour l'écosystème pyrénéen. D'autant plus que la multiplication des résidences secondaires dans les vallées, s'ajoutant à la modernisation plutôt standardisée de l'habitat sédentaire, augmente considérablement la surface bâtie. Le bord des routes principales qui desservent les vallées est désormais envahi par des constructions qui transposent la ville à la montagne.

Cependant, du point de vue écologique, tout n'est pas négatif dans les actions propres à la civilisation industrielle et urbaine. Par exemple, les reboisements effectués par le Service des forêts permettent de lutter efficacement contre l'érosion, notamment dans les Pyrénées méditerranéennes où ce phénomène menace directement l'étage forestier. De même, la création en 1967 du parc national des Pyrénées occidentales (et peut-être demain celle du parc national de la haute Ariège) fait bénéficier une zone de 45 700 hectares d'une protection totale, portant sur la faune et la flore, mais aussi sur l'ensemble du patrimoine naturel. Outre l'affermissement de la vie rurale dans la zone périphérique du parc national, grâce à diverses actions d'aménagement, dans la zone centrale proprement dite, la multiplica-

tion des isards et la sauvegarde des grands rapaces (que l'administration du parc nourrit en hiver) sont à mettre à l'actif de cet établissement public. Mais le succès même du parc national des Pyrénées et les facilités offertes au public pour les randonnées exercent un effet d'attraction qui accroît la fréquentation du milieu montagnard dans ces secteurs. Le passage des touristes est si important sur certains chemins que leurs bordures sont devenues des zones où presque plus rien ne pousse. Dans ces conditions, il ne faudrait pas commettre l'erreur de trop étendre le réseau des chemins ni de répandre dans la zone périphérique du parc un type de tourisme trop destructeur pour le milieu. « La montagne doit se mériter un peu », pensaient à juste titre les créateurs du parc national. Puisse l'administration qui en a la charge ne pas oublier cette sage injonction !

En définitive, que conclure de l'action actuelle de l'homme sur le milieu pyrénéen ? A l'heure des bilans, il ne faut pas tomber dans le passéisme qui dénature parfois la pensée écologiste. Les ravages existent, ils sont bien visibles et ils commencent à modifier profondément l'écosystème pyrénéen. Un autre écosystème est en train de s'établir, peut-être plus rentable, certainement moins diversifié. L'aimer, l'accepter ou le détester est une question de choix.

C'est en 1903 que les Palois Falisse, Sallenave et Gaurier chaussèrent pour la première fois des skis au Bénou. Ils avaient été précédés dans ce genre d'expérience par le Catalan Prosper Auriol, qui inaugura le ski au col de la Quillanne, le 29 janvier 1901. (Coll. Brugnot.)

Sous la lumière douce de l'arrière-saison, la fougeraie du col d'Aspin prend des tons dorés, tandis que les brumes bleuissent les versants au-dessus d'Arreau. Pour qui aime les Pyrénées, l'automne est la période radieuse.

Deuxième partie

ITINÉRAIRES

À part la tôle qui a remplacé le chaume pour couvrir la cabane, rien n'a changé depuis des siècles dans cette scène pastorale du Lavedan.

Itinéraire n° 1
Le piémont nord-pyrénéen

*Déjà en 1561, les vêtements locaux des Pyrénées captivaient le voyageur. En haut :
« La Bayonnaise et son accoutrement.
On peut ici contempler sa figure
Et cet habit ne change aucunement
Et simple elle est de sa propre nature. »
Ci-dessus :
Bayonnaise en costume de deuil.
A droite. Foix et son château à l'époque romantique (coll. part.).*

Itinéraire de Bayonne à Perpignan.

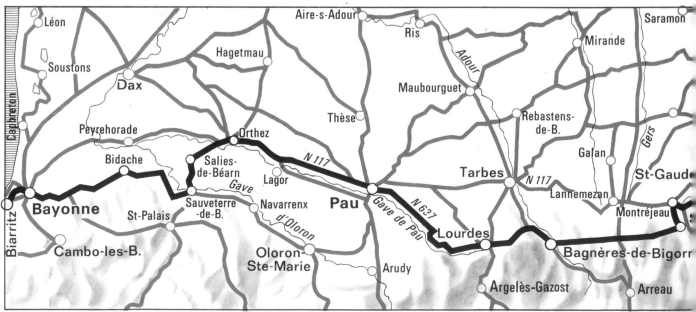

Présentation du secteur

A la charnière entre les grandes plaines d'Aquitaine et du Languedoc, qui s'étendent au nord, et la montagne pyrénéenne proprement dite, qui se dresse au sud, le piémont nord-pyrénéen élève la première marche montant vers les cimes. Dans cette zone de transition, un univers de collines et de vallons subit les influences venues des territoires voisins. Du plissement montagnard, le piémont tire son relief, succession d'éminences aux silhouettes arrondies qui font davantage penser à des coteaux qu'à de vraies montagnes, mais aussi, dans sa moitié orientale, une barre rocheuse parallèle à la chaîne et où se succèdent les petites Pyrénées, le chaînon du Plantaurel et les Fenouillèdes.

A cause de la faible altitude de ce piémont, la couverture végétale climacique demeure la chênaie comme dans les plaines voisines. Et naturellement la faune qui peuple ces chênaies, ou les espaces défrichés au détriment de celle-ci, ne diffère pas de celle qui colonise les champs, les bosquets et les haies de la plaine.

Ce qui change le plus ici, c'est la présence humaine. Les vagues successives de population qui sont venues buter contre la muraille pyrénéenne ont souvent fait souche dans le piémont, créant des foyers de civilisation aux endroits les plus inattendus. Forteresse fermant une vallée, moûtier caché au creux d'un vallon, caverne ornée de fresques par les chasseurs préhistoriques, le piémont fourmille de ces traces qui s'enchaînent pour remonter le temps jusqu'au passé le plus lointain. Peut-être ces reliefs arrondis ont-ils tout de même joué leur rôle protecteur pour nous conserver les vestiges d'une très longue présence humaine. En tout cas, ils créent un paysage attachant, souvent joyeux et sans cesse renouvelé.

Moyens d'information

Cartographie

Michelin nº 85 et nº 86.

I.G.N. 1/100 000 : nº 69, nº 70, nº 71 et nº 72.

I.G.N. 1/50 000, feuilles : Orthez, Mauléon-Licharre, Oloron, Lourdes, Bagnères-de-Bigorre, Montréjeau, Saint-Gaudens...

Bibliographie

Bagnères-de-Bigorre, Promenades et Excursions, Jean-Jacques Martin et Pierre Mayoux, Péré, Bagnères-de-Bigorre, 1972.

Guide des Pyrénées mystérieuses, Bernard Duhourcau, éd. Tchou, Paris, 1973.

Pyrénées des quarante vallées, Pierre Minvielle, éd. Denoël, Paris, 1980.

Bayonnaise par Gaignaires, 1572. (Estampes, B.N., Paris.)

Femme de Saint-Jean-de-Luz par Gaignaires, 1572. (Estampes, B.N. Paris.)

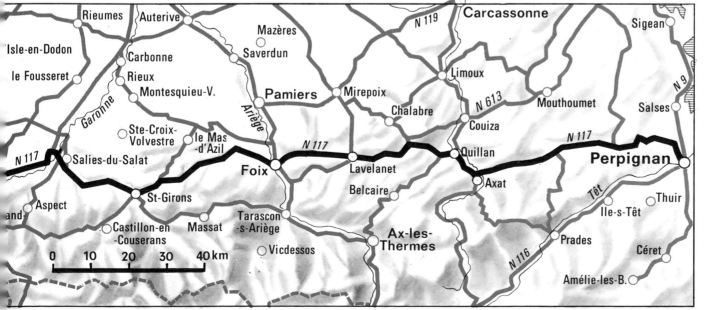

Sur les bords de la Nive, les maisons de commerce alignent leurs façades à fronton triangulaire. C'est ici que se concentre l'activité portuaire de Bayonne depuis trois siècles.

A l'autre extrémité de la chaîne des Pyrénées, le Canigou dresse au-dessus des vignobles sa cime tutélaire. Visible de partout en Roussillon, le Canigou fait figure d'Olympe pour les Catalans.

De Bayonne à Perpignan

Durée : 4 jours (560 km).

A l'extrémité occidentale du piémont nord-pyrénéen, Bayonne fait figure de carrefour, de lieu de rencontre. D'ailleurs, le nom de Bayonne ne vient-il pas du vieux mot basque « Ibaïona » qui signifie « confluent » ? Confluent, Bayonne l'est au propre et au figuré. Bâti à la jonction de l'Adour et de la Nive, à quelques kilomètres de l'Océan, Bayonne joue ce rôle convergent habituel à tous les ports. L'activité qui règne sur les quais de la Nive en témoigne : les poissons pêchés en mer y croisent les produits arrivant de l'arrière-pays, basque ou béarnais, et notamment les réputés « jambons de Bayonne ». L'animation que connaissent les ruelles de la vieille ville, blottie autour de la belle cathédrale Saint-Jean, montrent, de même que les vitrines du Musée basque (aménagé dans une pittoresque demeure), que les influences extérieures, espagnoles, basques, landaises, béarnaises, n'ont jamais manqué à l'intérieur des remparts de Bayonne. Même la spécialité locale, la tasse de chocolat que l'on ira boire sous les arcades, dans la vieille ville, Bayonne l'a puisée au XVIIe siècle dans les habitudes de la Cour lorsque celle-ci accompagna Louis XIV enfant qui allait épouser l'infante d'Espagne à Saint-Jean-de-Luz. Quant aux fêtes de la ville, à base de toro de fuego et de corridas, n'empruntent-elles pas le plus clair de leurs attractions à l'Espagne voisine ?

Autour de Bayonne s'étend le Labourd, l'une des trois provinces du Pays basque français. Devant ce paysage de collines où la marqueterie d'un bocage verdoyant étale sa géométrie agricole et paisible, on a peine à imaginer que 10 000 ans plus tôt, des hommes préhistoriques y chassaient l'ours et le bison comme le confirment pourtant les statuettes en ivoire découvertes dans la grotte d'Isturits, qui se cache dans ces collines.

A la limite du Labourd et du Béarn, Bidache conserve les restes du château des ducs de Grammont où Mazarin s'arrêta en 1649 lorsqu'il se rendait à l'île de la Conférence pour discuter les clauses

A Bayonne, la cathédrale Sainte-Marie abrite un beau cloître du gothique final.

Toujours à Bayonne, le Musée basque expose d'intéressantes collections de makhila, ces cannes des bergers basques aux pommeaux ouvragés.

Quand débutent les fêtes de Bayonne, la jeunesse se déchaîne. Pendant une semaine, la liesse est de rigueur, et la farine remplace parfois les confetti.

Les restes du château de Grammont dressent encore de superbes structures au-dessus du village de Bidache.

Francis Jammes, le patriarche d'Hasparren, poète de la douceur béarnaise, sut mieux que quiconque chanter deux grands bœufs tachés de roux qui mènent l'attelage, ou les palpitations du lièvre traqué par les chasseurs, ou encore les rondeurs blondes des épis de maïs qui tapissent les rives du gave de Pau.

du Traité des Pyrénées. Aujourd'hui on chercherait en vain dans ces ruines sévères « la demeure enchantée » décrite à cette occasion par Théophraste Renaudot. En revanche, à quelques kilomètres de là, Sauveterre-de-Béarn, dressant ses remparts sur les rives du gave d'Oloron, demeure ce « conseil perpétuel d'enjouement et de sérénité » dont parlait Léon Bérard.

Les biefs d'eau verte que le gave aligne au pied de Sauveterre sont des « pools » connus des pêcheurs de saumon. La limpidité de leurs eaux calmes et leurs fonds sableux en font en effet des biotopes du saumon de fontaine. En décembre, les femelles de saumon y trouvent les frayères où s'effectuent la fécondation puis l'enfouissement des ovules dans le sable. Les alevins y éclosent au printemps et y demeurent trois ans. Ensuite les saumons se laissent emporter au fil de l'eau vers l'Océan. Après quoi leur migration les conduit vers les côtes du Groenland où ils prennent leur poids (3 kg) et leur taille d'adulte (70 cm envi-

Aujourd'hui le maïs hybride est un peu l'or du Béarn. Dans chaque ferme les épis sont conservés empilés dans les séchoirs.

ron). Au bout de deux ou trois ans de vie marine, les saumons qui subsistent reviennent à l'estuaire d'origine et remontent vers la frayère natale où ils s'accouplent en décembre.

En aval de Sauveterre, le gave reçoit les eaux du Saleys qui arrivent de Salies. Avec ses maisons qui ont un petit air vénitien juchées sur leurs pilotis en bordure du ruisseau, avec ses toits de tuile ocre et son train-train paisible, Salies-de-Béarn est l'image même de la douceur béarnaise. Comme son nom l'indique, Salies vit du sel gemme produit par une source. Utilisé maintenant à des fins thérapeutiques, le sel de Salies servait hier à conserver les jambons dits de Bayonne, et bien des siècles auparavant il transitait au pied des Pyrénées par le « chemin salier » pour être distribué aux troupeaux de moutons qui l'attendaient dans la montagne.

Le sous-sol local ne fournit pas que du sel. A Lacq, il produit aussi du gaz et du soufre. Pour contempler le complexe industriel de Lacq, le mieux est de monter sur le belvédère situé au sud de Mourenx-Ville-Nouvelle. Vers le nord s'étend l'ensemble des installations industrielles avec ses torchères, ses raffineries, ses containers en aluminium. Vision futuriste plantée dans un décor de tradition, le complexe de Lacq est une vaste usine au milieu de la campagne. Ses installations exploitent le gaz que les forages rencontrent à 3 550 m et en séparent les hydrocarbures et le soufre. (Production annuelle de soufre : 1 600 000 tonnes.)

En revanche, vers le sud, le moutonnement des collines s'étend jusqu'à la toile de fond des montagnes. Les lambeaux de la chênaie atlantique y alternent avec des prairies et des champs de maïs. Le chêne pédonculé, ce géant sylvestre, colonise les crêtes et les fonds humides. Il élimine de la sorte son congénère malingre, le chêne tauzin qui se contente des hauts de pente où il pousse en bosquet. Le houx, le fragon et le genêt à balais composent une strate arbustive bruissante d'oiseaux sous ces beaux arbres. La construction locale a largement usé de cet excellent bois d'œuvre et la charpente qui soutient le toit de l'église de Monein offre un saisissant exemple d'agencement en rouvre. C'est sans doute aussi la proximité de ces grands chênes qui donne aux vins locaux (le monein, le jurançon ou le pacherenq) leur bouquet à la fois âpre et fleuri ; tandis que le maïs nourricier des volailles débouche sur l'élevage des oies et des canards que les cuisinières du cru mettent en confit au début de l'hiver. Ajoutez-y la savoureuse garbure, soupe de légumes à la graisse d'oie, à la fumée de laquelle il faut chambrer le vin rouge, et vous aurez le menu de base de la gastronomie béarnaise.

Pau est la capitale de ce pays du bien-vivre et il n'est pas étonnant que son château ait abrité la naissance d'Henri IV, le « bon roi Henri ». Dans ce château, on montre encore la coquille de tortue de mer qui est sensée avoir servie de berceau au royal nouveau-né. A deux pas du château d'Henri IV, Pau abrite une autre demeure royale, pauvre maison de tonnelier celle-ci, qui vit naître Bernadotte, futur roi de Suède. Enfin du côté sud de la ville court le boulevard des Pyrénées, d'où, par beau temps, on découvre un panorama de montagnes qui s'étire sur 300 kilomètres, de quoi illustrer cette phrase de Lamartine que les Palois se répètent avec fierté : « Pau, la plus belle vue de terre. »

Mais la capitale touristique de ces confins pyrénéens, c'est Lourdes. Le site de Lourdes garde l'empreinte des grands glaciers quaternaires qui l'ont façonné. Au nord de la ville, une ceinture de moraines digitée ferme une cuvette ombilicale d'où pointent trois ou quatre bornes-témoins épargnées par l'érosion glaciaire. Un château fort, aujourd'hui transformé en Musée pyrénéen, couronne l'une de ces éminences, tandis que grouillent à ses pieds les ruelles commerçantes de la ville. Lourdes n'aurait été qu'une bourgade sans histoire si une bergère, Bernadette Soubirous, n'avait eu des visions mystiques aux approches de la grotte Massabielle, sur la berge même du gave de Pau. Depuis 1858, date de la première apparition, Lourdes n'a

Pau se veut ville royale. Il y a de quoi. Peu de localités abritèrent la naissance de deux rois ! A gauche. La maison natale de Jean-Charles Bernadotte, futur maréchal de France, futur roi de Suède et fondateur de l'actuelle dynastie régnante de ce pays. (Estampe.) Ci-contre. Le château d'Henri IV. La légende veut que le premier berceau du jeune Henri ait été une coquille de tortue que l'on montre dans ce château. Affiche de la Compagnie des Chemins de fer d'Orléans et du Midi, (coll. P. Minvielle).

Le château de Pau et l'ancien champ de foire, d'après une estampe naïve du XIXe siècle. Le nom de Pau vient du latin Palum, le Pieu, par évocation du poteau fiché en terre pour indiquer le gué où les troupeaux pouvaient franchir le gave. Hommes et bêtes se rassemblaient ensuite sur le terrain vague sous la protection du château.

A Lourdes, dans les rues qui mènent à la grotte des Apparitions, les vitrines de chaque boutique regorgent d'articles de piété. A côté des simples médailles pieuses, s'alignent aussi de luxueuses grottes garanties lumineuses, des vierges au regard mobile ou même des coucous qui lancent à chaque heure de sonores « ave ».

pas cessé de croître. Elle est devenue la Cité mariale accueillant chaque année quatre millions de pèlerins qui viennent des quatre coins du monde catholique prier devant la grotte des Apparitions. Certains, frappés de maladie ou d'infirmité, espèrent une guérison miraculeuse et la procession des malades poussés dans de petites voitures rend plus vibrants encore les accents de la foi qui font vivre cette métropole mystique. Une première cathédrale désormais insuffisante a été remplacée en 1955 par l'énorme basilique Saint-Pie-X, construction souterraine aux voûtes de béton. Entre-temps, Lourdes s'est ouvert largement au commerce des objets de piété, statuettes de la Vierge Marie, médailles pieuses, flacons d'eau bénite, dont l'accumulation aux vitrines des boutiques transforme en souks pittoresques les ruelles descendant vers la grotte. Une gare importante, un aérodrome, une longue liste d'hôtels structurent l'activité de ce centre touristique sans équivalent dans les Pyrénées. Dans la ville même, funiculaires et téléphériques mettent à profit les reliefs glaciaires pour offrir aux pèlerins l'attraction des panoramas montagnards que l'on découvre du haut du pic du Jer ou du Béout. Des circuits en autocar essaiment dans toute la région, vers Gavarnie, vers Cauterets, mais surtout vers la grotte de Bétharram. Dans cette caverne, proche de Lourdes, de confortables aménagements assurent aux touristes une visite en toute sécurité dans des galeries ornées de stalactites et de stalagmites avant de glisser en barque au fil d'une rivière souterraine.

Une autre navigation souterraine dans un décor de stalactites attend aussi les touristes dans la grotte de Médous, aux portes de Bagnères-de-Bigorre, dans la vallée de l'Adour. La station thermale de Bagnères, quant à elle, a su s'adapter aux besoins de la clientèle contemporaine. Son cadre, établi à l'époque où les premiers romantiques venaient découvrir les Pyrénées sous prétexte de « prendre les eaux de Bagnères », conserve le charme discret du passé tout en offrant une animation efficace, capable de distraire les curistes envoyés par la Sécurité sociale.

Entre la vallée de l'Adour et la vallée d'Aure s'étendent les Baronnies de Bigorre, terroir isolé où de hautes collines couvertes de buis dominent la nudité austère des landes de Pela-Pout (Pèle-Coq) qui amorcent le plateau de Lannemezan. A leur extrémité, là où la vallée d'Aure borde le Lannemezan, la Neste qui cherche son cours parmi les cailloux a si souvent changé de lit que tout le secteur forme un bas-fond humide, une « barthe » où les saules, les osiers, les sureaux et les peupliers colonisent tant bien que mal des sols souvent recouverts de flaques d'eau.

On pourrait croire ces barthes sans ressources pour les hommes et pourtant c'est aux confins de ces marécages, à Montsérié, qu'a été découvert l'admirable masque en bronze de facture gauloise, aujourd'hui conservé au musée de Tarbes. Car ce piémont regorge de vestiges d'un passé souvent lointain. Dans la grotte de Gargas, par exemple, une

Vers 1920, Lourdes conservait encore son caractère champêtre aux abords de la grotte.

Dans le moindre vallon du piémont pyrénéen, hêtres et noisetiers bordent les rives des torrents et le gel de l'hiver accroche à leurs branches la féerie du cristal.

De très belles stalles en bois (XIV⁰ s.) cernent le chœur de l'abbatiale de Saint-Bertrand de Comminges. Elles représentent des scènes de la vie quotidienne comme celle-ci où l'on voit le maître fustiger son élève qui s'efforce de protéger ses fesses nues.

multitude d'empreintes de mains plaquées sur les parois de l'antre étale des amputations sans que l'on sache si ces fantômes mutilés provenaient d'un rite ou d'une maladie frappant la tribu préhistorique commensale de la grotte.

A deux pas de Gargas, Saint-Bertrand-de-Comminges érige sur un piton rocheux son abbatiale à longue nef dont le chœur s'orne de très belles stalles en bois. A son tour le clocher fortifié de l'abbatiale commande la plaine du Comminges et semble protéger la charmante chapelle romane de Valcabrère bâtie en plein champ avec des statues tout simplement empruntées aux restes de la villa romaine voisine.

Ici le piémont alterne des îlots défrichés où se télescopent les souvenirs de l'histoire et de vastes zones encore couvertes de hêtres et de sapins, comme on peut en juger depuis l'esplanade de Saint-Gaudens devant laquelle se tend un grandiose panorama de montagnes.

Plus loin vers l'est, la longue ride du Plantaurel barre le chemin aux cours d'eau qui débouchaient de la montagne en direction de la plaine. Il a bien fallu que les eaux se frayent un passage à travers ces calcaires et il résulte de ce travail d'érosion une série de percées souterraines, certaines pénétrables par l'homme, qui constituent des sites particulièrement insolites. La plus spectaculaire d'entre elles est, à coup sûr, celle que réalise l'Arize en perçant le tunnel du Mas-d'Azil. L'automobiliste peut visiter ce site sans sortir de sa voiture depuis que la route départementale 119, mettant à profit l'énormité du souterrain creusé par le torrent, traverse de part en part le chaînon du Plantaurel. Sous ces voûtes naturelles, hautes par endroit de 60 m, on a tout loisir d'écouter l'Arize cascader dans l'obscurité de la grotte. Un parking souterrain permet de faire halte au milieu du tunnel pour visiter des galeries annexes où séjournèrent successivement des tribus préhistoriques et des proscrits des guerres de Religion. Cette spéléologie sans danger peut être renouvelée aussi dans la grotte de Labouiche qui s'ouvre au bord de la route, entre le pas du Portel et Foix.

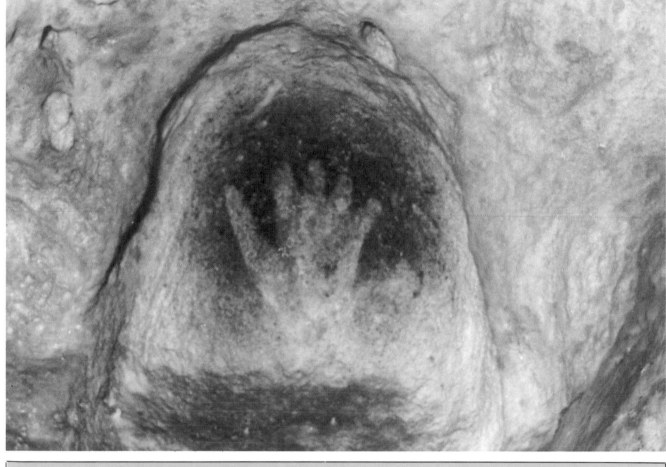

Les mains « fantômes » de Gargas. Pour des raisons encore mal éclaircies, les hommes préhistoriques ont laissé sur les parois de cette caverne les empreintes de leurs mains tracées au pochoir. La plupart de ces mains sont multilées par amputation de phalanges. Était-ce un rite ? Était-ce une maladie ?

Il n'y a plus de loup dans les Pyrénées. Au XVe siècle, pourtant, la chasse au loup comptait parmi les activités favorites des seigneurs locaux. Gaston Fébus, comte de Foix et grand chasseur devant l'Éternel, a laissé à la postérité un admirable traité de chasse où chaque enluminure explique une technique adaptée à un gibier. Ici, l'une des façons de capturer un loup. (Cabinet des Estampes, B.N., Paris.)

51

Clefs médiévales trouvées au pied du château de Montségur. Étaient-ce celles qui ouvraient la poterne du réduit cathare ?

Le château de Montségur vu d'avion. Les remparts de la citadelle cathare dominent les abrupts du Pog. Le sentier qui part de la poterne fut celui que suivirent les Parfaits après leur reddition, quand ils descendirent pour être brûlés vifs dans le Champ des Crémats. (Coll. Beaujard.)

La ville de Foix occupe une position stratégique au confluent de l'Ariège et de l'Arget, au seuil de la montagne. La disposition du site le désignait comme emplacement à fortifier. Aussi les trois tours du château fort perché sur un rocher qui surplombe l'Ariège semblent-elles répondre à ce besoin fixé par la nature et accentuer le caractère « fantastique » de ce paysage déjà noté par Michelet. Foix fut, avec Orthez, l'une des capitales de Gaston Phébus, ce grand seigneur du XIVe siècle, créateur d'un état pyrénéen indépendant, au destin certes éphémère mais dont la cour vivait dans un faste que Froissard s'est plu à décrire avec émerveillement.

Tandis que sa couverture végétale passe insensiblement de la chênaie humide à base de rouvre à la chênaie sèche peuplée de chênes pubescents, le piémont ariégeois prolonge ses ondulations où voisinent les derniers toits d'ardoise et les premiers toits de tuile canal. Ces terroirs pauvres abritent pourtant un château fort bien plus célèbre que celui de Foix, la forteresse de Montségur. Le « pog » sur lequel est bâti Montségur jaillit comme un doigt accusateur d'un moutonnement de collines boisées. Derrière ces remparts qui voisinent avec les nuages, les derniers cathares et leurs alliés groupés autour de Raymond de Perella soutinrent cinq mois durant, en 1244, un siège impitoyable contre l'armée de Simon de Montfort envoyée par le roi de France pour réduire l'hérésie manichéenne des « Parfaits ». Sur la prairie qui monte vers l'orgueilleuse forteresse, les vaches paissent calmement à l'emplacement même où les derniers assiégés furent brûlés vifs après leur reddition. Le pâturage a beau porter en souvenir le nom pourtant terrible de « Camp des Crémats », il semble encore trop paisible et la forteresse ruinée trop silencieuse. Quand on visite Montségur, on ne peut se défaire d'une sensation de mystère ; comme si les fumées du bûcher du XIIIe siècle avaient marqué les lieux d'une trace indélébile.

Au chapitre des mystères ariégeois s'inscrit aussi la Fontestorbes que l'on trouvera près de Bélesta, à l'est de Lavelanet. Cette source dont le nom signifie « fontaine folle » est en effet une fontaine dérangée. L'été, son débit devient intermittent. Le rythme est alors cyclique : l'eau monte dans la vasque de la source durant 15 minutes 4 secondes, elle s'écoule durant 6 minutes et met 35 minutes 36 secondes à redescendre. Cette intermittence pourrait être expliquée par un jeu de siphons naturels lorsque l'alimentation en eau souterraine devient insuffisante, au milieu de l'été.

Le bassin d'alimentation de Fontestorbes englobe pourtant une bonne partie du vaste plateau de Sault, une région étrange et désolée qui mérite une visite. On y circule dans un paysage accidenté et très boisé. Sur le plateau lui-même poussent des rangs serrés de sapins d'Aude, espèce locale et particulièrement élancée. Les combes, en revanche, constituent des pièges pour l'air froid qui s'y accumule et provoque des microclimats sibériens. Une végétation de mousses et de bouleaux où survivent quelques renards dressent d'ailleurs un tableau bio-

logique plus proche de la taïga que du reste du piémont pyrénéen. Comme la vie est dure sur ce plateau, son étendue demeure presque désertique; les localités se réfugiant plutôt à sa périphérie, y compris du côté de la montagne, comme ce modeste village de Montaillou rendu célèbre par la magistrale étude que lui a consacré l'historien E. Leroi-Ladurie. Tandis que les premiers cyprès bordant la route départementale 117 aux abords de Quillan annoncent déjà la Méditerranée, vers laquelle le piémont descend par larges gradins, des gorges se referment sur les derniers contreforts de la montagne. Le nom de ces clues traduit les difficultés qu'elles opposent à la vie humaine : gorges de la Frau, c'est-à-dire de la Frayeur ; Trou du Curé (dans la gorge de Pierre-Lys), allusion à ce curé de Saint-Martin-du-Lys qui, au XVIIIe siècle, décida ses paroissiens à creuser une route dans la gorge pour désenclaver leur village.

Mais la gorge la plus effrayante de ce piémont oriental est sans doute celle de Galamus qui traverse le massif des Fenouillèdes au nord de Saint-Paul-de-Fenouillet. Les précipices que surplombe la route y dissimulent cependant un oratoire curieusement incrusté dans la falaise. Quant au massif des Fenouillèdes, il tire son nom du fenouil, cette plante sauvage et odorante qui abonde sur ses pentes et envahit les emblavures laissées à l'abandon.

A l'extrémité de ces Prépyrénées septentrionales, le bassin de Tautavel se consacre, comme ses voisins, à la viticulture. C'est le cru de Rivesaltes, ce vin chaleureux à la robe profonde. Mais Tautavel tire aussi sa fierté d'une grotte, la Caoügno de l'Arago, qui s'ouvre dans la falaise dominant les vignes. Cette grotte apparemment sans importance est en fait le conservatoire où ont été retrouvés les vestiges du plus vieil européen, l'homme de Tautavel, un hominien à face simiesque qui vivait ici il y a 450 000 ans.

Quand on s'éloigne de ce berceau de l'humanité, en direction de Perpignan, les vignes, puis les arbres fruitiers de la plaine du Roussillon font la haie jus-

qu'aux premières maisons de la capitale de la Catalogne française. La vie à Perpignan semble pétrie de sang et d'or comme les couleurs de sa province et ses habitants constamment habités par la passion. Toutes les occasions sont bonnes pour que cette passion resurgisse : une partie de rugby aussi bien que la procession de la Sanch lorsque des cagoulards rouges et d'autres noirs défilent pour commémorer la passion du Christ, lors de la semaine sainte. Passion débridée, celle du « Devôt Christ », chef-d'œuvre de la statuaire locale, passion plus retenue de ces corps de femme dont le ciseau de Maillol a su créer l'harmonie. Mais rien ne saurait mieux déchaîner une passion, celle de la danse, que les accents aigres et graves d'une sardane lancés par un orchestre au coin d'une petite place. Et ce n'est que le soir, dans le calme retrouvé, que la fièvre s'apaise, à l'heure où l'on va boire un verre devant la Loge des Ducs, au cœur de ce vieux Perpignan tout chargé d'histoire et de particularisme.

Organisée par la Confrérie du Précieux Sang, la procession de la Sanch se déroule chaque année dans les rues de Perpignan suivant un cérémonial qui remonte à 1416. (Coll. P. Minvielle.)

A cause de son sol de gravier, le Roussillon se prête à l'agriculture.

Ascension du pic de Saint-Barthélemy (2 348 m)

Point de départ : station de ski des monts d'Olmes (alt. : 1 400 m). Pour atteindre le point de départ, prendre entre les villages de Montferrier et de Montségur, la route qui monte en 14 km à la station de ski des monts d'Olmes.

Durée : 5 heures (aller et retour).

De la station de ski, emprunter la piste large et balisée qui conduit au lac, modeste retenue artificielle occupant la partie basse d'une tourbière.

40 mn — Après avoir dépassé le barrage, se diriger au sud, à travers la tourbière. On atteint un ruisseau. Un sentier s'amorce et se perd rapidement. Il faut alors progresser en surveillant les balises et les « cairns » qui jalonnent le trajet.

1 h — Se diriger au sud-est pour contourner un grand contrefort descendant du pic Galinat. Traverser un vallon. Contourner un deuxième contrefort, plus modeste que le précédent. On atteint des éboulis morainiques recouverts d'herbe et de rhododendrons. Il est prudent de contourner cet amas en passant sur sa crête frontale.

1 h 15 mn — Remonter (direction sud) en gardant les éboulis chaotiques sur sa droite. On accède ainsi au vallon du Touyre qui descend du col de Girabel. Gravir les pentes qui mènent au col.

2 h — Du col de Girabel, suivre en direction de l'est un sentier qui épouse les sinuosités de la crête.

3 h — Sommet du pic de Saint-Barthélemy. Panorama très étendu sur la plaine de Lavelanet et le Plantaurel, au nord ; sur la vallée de l'Ariège et les montagnes de la haute Ariège, au sud.

De tourbière en éboulis rocheux, une ascension dans le Piémont qui donne un avant-goût de la haute montagne.

Itinéraire n° 2
Les Pyrénées basques

Présentation du secteur

A l'extrémité occidentale des Pyrénées, les montagnes basques semblent jaillir de l'Océan à la hauteur d'Hendaye. Leur altitude s'accroît ensuite régulièrement jusqu'à atteindre 2 500 m dans le massif basco-béarnais de la Pierre-Saint-Martin et du pic d'Anie.

Ces 100 km de montagne — près du quart de la chaîne — servent de limite entre la France et l'Espagne, bien que la frontière n'en suive la ligne de crête que dans la partie orientale, car la rivière Bidassoa matérialise la limite territoriale dans la partie ouest du secteur.

Les montagnes basques forment un enchevêtrement confus où la chaîne axiale se confond avec des massifs d'origine géologique plus récente. Tous les sommets ont des formes arrondies et une altitude assez modeste. Les sommets principaux : la Rhune ou l'Arroun (900 m), l'Arcurrunz (936 m), le Gorramendi (1 090 m), le pic Occabé (1 500 m), le pic d'Orhy (2 017 m) et le

Vallée de la Bidassoa vue du col de Lizarreta. La brume couvre le bourg de Vera de Bidassoa.

pic d'Anie (2 504 m) déjà situé hors du Pays basque, jalonnent tous la zone axiale. Au nord de cet alignement, d'autres sommets de moindre importance, les pics Mondarrain, Artzamendi, Ursuya, Baygoura, Jara et le massif des Arbailles, s'éparpillent en un hérissement dépourvu d'ordonnance.

L'impression qui s'impose lorsqu'on aborde ces montagnes basques est d'abord visuelle : on pénètre dans un paysage où tout est vert. Les prairies et les haies, les bosquets qui parsèment les collines et envahissent les vallons, les hêtraies de la montagne, les pelouses et les landes qui s'étalent sur les crêtes apportent leur note de verdure particulière.

L'humidité venue de l'Atlantique n'est pas étrangère à cette abondance de chlorophylle. Les précipitations — essentiellement pluviales — sont ici très fortes. La courbe des 2 000 mm de pluie passe à Saint-Jean-Pied-de-Port pourtant situé seulement à 163 m d'altitude. Ces précipitations abondantes alimentent des rivières aux eaux très claires : Saison, Nive, Nivelle, Bidouze, Joyeuse et Bidassoa. Le climat atlantique à vent d'ouest dominant contribue largement à la vigueur de la couverture végétale. On est surpris par la luxuriance des forêts dont les sous-bois sont souvent de véritables jungles, rendues quasiment impénétrables par le foisonnement, la densité et le gigantisme des arbres et des plantes.

A basse altitude, la végétation climacique est la chênaie atlantique. Mais celle-ci a été en maints endroits transformée par les aménagements de l'espace tels que l'homme les a conduits depuis des millénaires. Le défrichement a abouti à l'instauration d'un bocage. Et comme la majeure partie du relief s'étale à des altitudes inférieures à 600 m, ce bocage occupe de vastes superficies. On l'observe dans les bassins — il n'y a pas de véritable plaine en Pays basque —, dans le fond des vallées et sur les premières pentes des versants. Association végétale de fougère aigle et d'ajonc épineux, la lande de touya couvre les croupes arrondies. La chênaie y subsiste par lambeaux. La hêtraie basque et son sous-bois forment, au contraire, des massifs épais, impénétrables, qui constituent de véritables forêts vierges auxquelles s'accrochent souvent les brouillards. Plus haut, coïncidant avec les crêtes des montagnes, de vastes étendues sont réservées au pâturage.

Regroupé en bourgs minuscules ou, le plus souvent, disséminé en d'innombrables fermes isolées, l'habitat éclaire de ses couleurs pimpantes le camaïeu vert du tapis végétal. Le bocage basque est l'un des paysages les plus riants de France.

Dans cet ensemble basque, un œil exercé parvient à discerner des nuances. Elles correspondent en gros aux trois provinces, Labourd, basse Navarre et

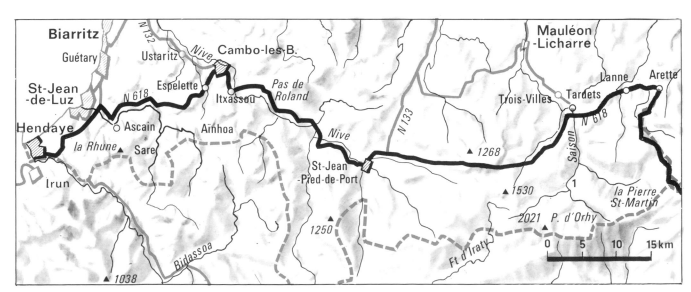

Itinéraire d'Hendaye à la Pierre-Saint-Martin.

Soule, dont l'histoire a fragmenté le Pays basque français. Ces nuances s'affichent surtout sur l'habitat. La maison basque, l'étché, n'est pas partout la même. En Labourd, un colombage apparent badigeonné de peinture rouge ou verte tranche sur les murs blanchis à la chaux. Son large toit de tuile, à faible pente, se retrouve dans la maison de basse Navarre, mais les murs navarrais font moins appel au colombage et davantage à des frontons de calcaire sculptés à l'imitation du « caserio » de la Navarre espagnole. Quant à la maison souletine, elle a

le plan carré, la maçonnerie grisâtre et le toit d'ardoise des demeures pyrénéennes, un type d'habitat que l'on retrouve jusqu'en Ariège.

Mais ces nuances se fondent dans une profonde unité humaine. L'usage d'une langue très particulière et la pratique de coutumes spécifiques font naître dans les cœurs la certitude d'appartenir à une entité particulière, l'entité basque. On est Basque dans ses rapports familiaux qui reposent ici sur une structure patriarcale ; on est Basque dans la façon de coiffer le béret, dans le désir d'aller à la messe le dimanche, et dans la joie que l'on éprouve à jouer à la pelote ou à la chistera sur le fronton qui jouxte l'église du village. Ce particularisme a des racines profondes. Les spécialistes qui se sont penchés sur les origines de la langue et du peuple basques concluent à une survivance d'une population autochtone pyrénéenne dont les origines se perdent dans la nuit de la Préhistoire.

Moyens d'information

Bibliographie

Topo-guide du GR 10 : Pays basque (d'Hendaye à la Pierre-Saint-Martin), Fédération française de la randonnée pédestre, C.N.S.G.R., Paris, 1979.

Guide des Pyrénées basques, Michel Angulo, édité par l'auteur, Bayonne, 1977.

Huit Itinéraires balisés, en Béarn et en Pays basque, Association départementale des sentiers d'excursion, Pau, 1978.

Pays basque est et Barétous, Jacky Feugas, Éditions Cepadues, Toulouse, 1980.

Cartographie

Michelin : n° 85.

I.G.N. 1/100 000 : n° 69.

I.G.N. 1/50 000 : feuilles : Iholdy, Espelette, Saint-Jean-Pied-de-Port, Tardets-Sorholus, Larrau.

Accompagnateur en montagne

Michel Duquennoy, Bidarray, 64 780 Ossès, tél. : (59) 37-20-13.

La ville d'Urugne et le sommet de la Rhune.

Durant les « années folles », le Pays basque et tout ce qui s'y rattachait étaient à la mode. Mais la chistera n'offrait tout de même pas autant de dangers que le prétend cette caricature publiée en 1929 dans la revue La Vie Parisienne. (Coll. P. Minvielle.)

D'Hendaye à la Pierre-Saint-Martin

Durée de l'itinéraire : 2 jours (210 km).

Hendaye marque la naissance des Pyrénées. Si Hendaye-Plage borde une anse sableuse largement ouverte sur l'Océan, Hendaye-Ville s'abrite au contraire sur les rives de la Bidassoa, à proximité des premières hauteurs que la rivière frontalière répartit entre la France et l'Espagne. Ce partage territorial fut fixé par Mazarin et Luis de Haro lorsqu'ils discutèrent les clauses du Traité des Pyrénées sur l'île de la Conférence et l'île des Faisans que l'on peut voir à deux pas de la ville. Ces hauts lieux de la diplomatie ne sont plus que des îlots couverts d'ajoncs que la Bidassoa envase de ses alluvions arrachées à la montagne.

Tandis que l'érosion de la rivière ronge les derniers versants des Pyrénées, l'Océan sape les falaises qui leur servent pour ainsi dire d'assise. Entre Hendaye et Ciboure, les falaises — celles du château Abbadie ou de Socoa — reculent de quelques centimètres tous les ans, laissant parfois derrière elles comme témoins des brisants ou des bornes désormais isolés par les eaux comme les Jumeaux, ces beaux rochers qui montent la garde à côté de la plage d'Hendaye.

A Saint-Jean-de-Luz, on retrouve une baie abritée où débouche une rivière, la Nivelle, dont l'estuaire s'envaserait comme celui de la Bidassoa si l'on n'y prenait garde. L'ancien nom du site est d'ailleurs « Donibane Lohitzun », qui se traduit par « Saint-Jean-de-la-Boue ». Il y a trois siècles au moins que les Luziens luttent contre l'envasement de leur port. Car la tradition maritime de Saint-Jean-de-Luz n'est pas un vain mot. Chaque jour, la marée ramène au port la flotille colorée des thoniers déversant leur pêche à même le quai. Ces pêcheurs de haute mer sont les héritiers pacifiques des terribles corsaires luziens, Périts de Haranéder, Sopite, Cépé, dont les exploits firent trembler la couronne d'Angleterre. Les demeures de ces coureurs de mer qui firent fortune à coups de sabre d'abordage jalonnent les venelles du port de leurs vieilles pierres chargées de souvenirs. La plus belle d'entre elles,

sur le port même, accueillit l'infante Marie-Thérèse d'Espagne qui venait épouser le jeune Louis XIV. La cérémonie du mariage eut lieu à deux pas de là dans l'église de Saint-Jean-de-Luz, dont la nef de bois cernée de galeries imite ces frégates votives qui pendent à son plafond ; elle accueillit ce jour-là, les cours des rois de France et d'Espagne au grand complet.

Saint-Jean-de-Luz a aussi le mérite d'abriter de nombreux petits restaurants où le touriste peut aller déguster la vraie

Commandant l'entrée de la baie de Saint-Jean-de-Ly, le fort de Socoa semble braver l'océan.

Lors des fêtes de Saint-Jean-de-Luz, un « toro de fuego » crache le feu sur la foule attroupée place Louis-XIV.

gastronomie basque, le thiorro, cette soupe de poisson fortement relevée, ou les chipirons, c'est-à-dire des calmars cuits dans leur encre.

Quittant la côte en direction de la montagne par l'une des multiples routes qui y conduisent, on traverse un bocage verdoyant où les pinsons des haies cohabitent avec les mouettes. Dans cette campagne à la fois côtière et montagnarde, les villages, minuscules, font de petites taches blanches et rouges, mais tous possèdent une jolie église et un fronton.

Car le sport local, c'est la chistera que l'on pratique au sortir de la messe. La chistera est un jeu de pelote, mais aussi le gant en forme de long panier, fait d'osier tissé sur une armature de coudrier. Sa fabrication artisanale reste une affaire de famille dont Ascain s'est fait la spécialité.

Pour qui s'intéresse à l'énigme que pose l'origine de la langue basque, le nom d'Ascain n'est pas sans intérêt. Son étymologie fait appel à deux vieilles racines : *Asc,* qui veut dire « pointe rocheuse », et *Aïn,* qui signifie « élevée ». Ces deux racines se retrouvent dans un grand nombre de toponymes d'un bout à l'autre des Pyrénées et sur les deux versants de la chaîne. C'est ce qui fait dire aux spécialistes que la langue basque doit être la survivance du parler pratiqué par les peuples pyrénéens à l'époque néolithique.

Ce langage des toponymes ajoute son descriptif au paysage lorsqu'on sait le déchiffrer. Ainsi, partout dans ce bocage labourdin, les regards convergent vers la montagne de la Rhune, un nom qui déforme l'appellation locale Arrun, autrement dit la « montagne ». Un funiculaire partant de la route du col de Saint-Ignace grimpe au sommet de cet incomparable belvédère. Du haut de la Rhune, le panorama que l'on embrasse englobe la Côte basque que prolonge vers le nord l'immensité sombre de la forêt landaise tandis que, vers l'est et le sud, les crêtes moutonnent à perte de vue.

Sur les flancs de la Rhune, la commune de Sare a installé une réserve de

La fabrication des chisteras à Ascain. Le tissage de l'osier est presque terminé, mais on distingue encore le bâti de coudrier.

Avant une partie de chistera, vers 1910, à Mauléon.
(Photo stéréoscopique Veisse ; coll. P. Minvielle.)

Pages suivantes. Les premiers givres de l'automne blanchissent la crête de Pelluségagna et les hêtres de la forêt d'Iraty.

La foire au pottiock, à Hélette. Chaque année en décembre, les pottocka, ces poneys basques, barbus et à crinière blonde, font ici l'objet d'âpres transactions.

Marché conclu ! Éleveurs et maquignons se retrouvent à l'auberge autour d'une bouteille d'Irouléguy.

pottocka. Le Pottiock est un poney caractérisé par une barbe et une crinière blondes tranchant sur une robe baie. Cette race locale, à demi sauvage et en danger d'extinction, pourrait être celle qui figurait déjà sur les fresques que conservent les grottes préhistoriques de la région.

A l'est de la Rhune, les villages de Sare, d'Aïnhoa, d'Espelette enchantent les touristes par la fraîcheur pittoresque qui se dégage des façades de leurs maisons. Nulle part mieux que dans ces villages, l'etché labourdine ne concentre ses particularités. La couleur des colombages, vert, rouge ou bleu, varie d'une maison à l'autre et tranche chaque fois sur la blancheur du crépi. L'encadrement en pierre des portes et des fenêtres s'orne de symboles, croix basques, soleils. Des dates et des inscriptions y racontent l'histoire de la construction comme si chaque passant défilant dans les rues devait en être informé. Comment exprimer de façon plus éloquente la gaîté et la convivialité de ce peuple bas-

Le piment rouge est l'ingrédient indispensable de la cuisine basque. La population d'Espelette organise même une fête annuelle en l'honneur de ce condiment volcanique. Les piments enfilés sur des ficelles sont alignés sur les façades des maisons transformées en présentoirs et en séchoirs.

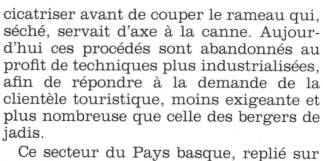

cicatriser avant de couper le rameau qui, séché, servait d'axe à la canne. Aujourd'hui ces procédés sont abandonnés au profit de techniques plus industrialisées, afin de répondre à la demande de la clientèle touristique, moins exigeante et plus nombreuse que celle des bergers de jadis.

Ce secteur du Pays basque, replié sur lui-même, semble à l'image de cette Nive qui ne cesse d'y décrire des méandres. Elle y perce même les gneiss en amont d'Itxassou en un défilé baptisé Pas-de-Roland, bien que le site soit assez loin de Roncevaux où le neveu de Charlemagne trouva la mort et le chemin de la légende.

Ces gorges si bien fermées sur elles-mêmes bénéficient d'un microclimat très doux qui favorise la pousse de l'arbousier, un arbuste que l'on rencontre plus ordinairement sur le littoral. Autre particularité biologique de ce secteur : dans les eaux claires et oxygénées des torrents affluents de la Nive se cache le Desman, sorte de taupe aquatique, qui est l'une des raretés de la faune spécifique des Pyrénées. L'animal est difficile à observer. Sa queue a la forme d'un gouvernail, ses pattes sont palmées et son nez forme une trompe mobile dont un clapet ferme l'orifice quand l'animal plonge. Sur berge, le Desman se dissimule dans des anfractuosités, il ne va dans l'eau que pour se nourrir.

En raison même de son isolement ce terroir conserve aussi des coutumes où les siècles et les épisodes de l'histoire se télescopent à plaisir. Ainsi à Bidarray, la stalagmite d'une caverne est-elle encore vénérée sous le nom de Saint-qui-Sue après avoir matérialisé le Bassa Jaün, divinité de la protohistoire locale. De même la population de ces villages aime-t-elle monter des « Pastorales », pièces de théâtre populaire dont le déroulement occupe toute une journée, mobilise une bonne partie des habitants, mais surtout met en scène des personnages costumés qui sont le Bon Dieu, le Diable de l'Enfer, Roland le Preux et Napoléon, dont l'épouse, Joséphine, est généralement incarnée par un solide gaillard. D'autres vigoureux jouvenceaux s'affrontent le 18 août sur la montagne d'Ahusky à l'occasion

que « qui danse au sommet des Pyrénées », au moins si l'on en croit l'approximation hasardée par Voltaire ?

Entre Espelette et Itxassou, des fourrés de ronces et de néfliers envahissent les vallons qui convergent vers la Nive. Le bois des néfliers sert à fabriquer le « makhila », cette canne ferrée des bergers basques. Au printemps, on pratiquait sur les branches des incisions dessinées suivant la fantaisie des sculpteurs ; on laissait ensuite ces entailles se

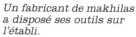

Un fabricant de makhilas a disposé ses outils sur l'établi.

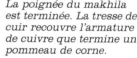

La poignée du makhila est terminée. La tresse de cuir recouvre l'armature de cuivre que termine un pommeau de corne.

Le desman des Pyrénées (Galemys pyrenaicus). Cette taupe aquatique des torrents pyrénéens est difficile à voir. La meilleure façon de photographier l'animal consiste malheureusement à trouver son cadavre.

de la traditionnelle Fête de la force basque. Dans ces olympiades pastorales, au cours desquelles coule à flot l'Irouléguy, le vin local au bouquet de framboise, bergers et bûcherons rivalisent dans des épreuves aussi particulières que le transport de grosses pierres, le lancer de poutre ou le jet de la hache. De même encore, vers l'est, dans la province de Soule, la Mascarade qui défile à Tardets regroupe des Diables, des Aitzcolari (bûcherons) et le curieux Zamaltzaïn, l'Homme-Cheval, véritable totem bondissant.

Il faut arriver à Saint-Jean-Pied-de-Port pour retrouver les traces d'une histoire plus officielle. Là déboucha l'armée de Charlemagne après le désastre de Roncevaux. La forteresse de grès rouge dont les embrasures commandent la ville et le bassin de la Cize a été remaniée par Vauban. Car en matière de position stratégique, on ne fait pas mieux : la place est la clef de toute la Navarre. Moncey s'y retrancha en 1794 et le général Blondeau y arrêta les Espagnols en 1814. A

Lorsqu'un village basque met sur pied une « pastorale », ce sont les garçons qui tiennent tous les rôles de la pièce. Ici Napoléon et Joséphine dans la pastorale de Lacarry.

Les maisons et l'église aux toits rouges de Saint-Martin d'Arbéroue tranchent sur le camaïeu vert du bocage basque.

l'ombre de ces murs héroïques, la ville garde plutôt la trace des pèlerins du Moyen Age qui y faisaient halte sur le chemin de Saint-Jacques-de-Compostelle. Mais maintenant, les touristes qui s'y arrêtent préfèrent contempler le « miroir de la Nive » qui reflète un vieux pont et les maisons riveraines, ou acheter dans les boutiques ce linge basque dont les filatures locales se sont fait une spécialité séculaire.

Dans les montagnes de l'arrière-pays, entre le col d'Arnostéguy — sur lequel veille la mystérieuse tour d'Urculu — et le pic d'Orhy, s'étale, sur les deux versants de la chaîne, le plus grand massif boisé des Pyrénées : la forêt d'Iraty et ses annexes. Jadis monde à part, domaine de l'ours et des légendes, la forêt d'Iraty est aujourd'hui quadrillée par 50 km de routes et colonisée par les aménagements touristiques (Chalets d'Iraty). Cependant autour du haut cours du rio Iraty qui descend vers l'Espagne apporter son tribut au rio Aragon, affluent de l'Èbre, les

Les sauts basques exigent du jarret. Labourdins, Navarrais et Souletins excellent dans ces prouesses qui ponctuent le rythme de la danse.

A Saint-Jean-Pied de Port, le jour du marché, les paysannes arrivent des fermes isolées pour vendre leurs produits sur des étalages de fortune, à même le trottoir.

hêtres, les sapins, les bouleaux et les bosquets d'ifs forment encore un magnifique ensemble forestier. Car son accès difficile a longtemps préservé la forêt d'Iraty des vicissitudes de l'exploitation. Seuls les sapins géants de la forêt furent mis à contribution pour la mâture des navires dès le XVIIe siècle. Sur le versant espagnol, les grumes étaient expédiés par flottage sur le rio, groupés en radeaux, les « almadias » que pilotaient les « almadieros ». En dépit de ces amputations, ce vaste massif forestier reste le biotope de nombreux oiseaux, les grands rapaces, aigle royal, vautour fauve, gypaète, mais aussi le pic à dos blanc qu'on ne trouve que dans les Pyrénées et dans les Balkans. Et le touriste peut encore y éprouver ce picotement d'inquiétude que procurent seules les forêts où l'on peut se perdre.

Au nord-est du pic d'Orhy, l'érosion a creusé des gorges qui ne le cèdent en rien à la forêt d'Iraty sur le chapitre du mystère. La crevasse d'Holzarté, la gorge de Ciciatzia ou le canyon de Kakouetta cachent sous des frondaisons de hêtres leurs profondes entailles au fond desquelles roulent de gros torrents. Mais quand on se penche sur la lèvre de leurs précipices, tout suintants d'humidité et verdis par les scolopendres, il est rare que l'on aperçoive le fond tant surplombent ces parois du vertige.

Bien entendu, ces sylves frontalières entrecoupées de gorges infranchissables, quel paradis pour des contrebandiers! Longtemps, les habitants de ces montagnes ont considéré la contrebande à la fois comme une activité lucrative et comme un sport. Dans les bordes de haute Soule, on se raconte encore à la veillée les exploits de l'inénarable Harichibalet, contrebandier impénitent, mais qui était aussi le curé de la paroisse de Sainte-Engrâce. Il y a prescription : c'était au XVIIIe siècle.

De nos jours, ces contrées difficiles servent de cadre à une course de voitures tout terrain : le Rallye des cimes. Cinq

Posés sur leur reposoir dominant des précipices, quatre vautours fauves profitent des premiers rayons du soleil pour se réchauffer.

jours durant, les jeeps et les buggies s'affrontent au fil d'étapes dont la caractéristique commune consiste à opposer aux conducteurs et à leurs véhicules des pentes raides, boueuses et dominant des précipices.

Le rugissement des moteurs mis à part, cette compétition est loin de déplaire à la population qui y retrouve un peu de ce panache si cher à leurs ancêtres mousquetaires.

Car, dans ces confins de la Soule et du Béarn, maints châteaux, maintes gentilhommières furent les maisons natales ou les demeures de mousquetaires : Porthos à Lanne, en Barétous, Aramis à Aramits et le capitaine de Tréville à Troisville, près de Tardets, pour ne citer que les plus célèbres.

En général ces nobles demeures jouxtent l'église de leur village cernée elle-même par un cimetière où les tombes ne sont pas veillées par des croix mais par de curieuses stèles discoïdales. Quand on les observe, tout au moins les plus anciennes d'entre elles, ces stèles affichent

Dans ces Pyrénées humides, les torrents ne sont pas rares. Leur flot entaille la roche de profondes crevasses cachées dans la hêtraie.

Sur un chemin, montant, boueux, malaisé, une jeep rugit sous le regard de quelques spectateurs. C'est une épreuve de vitesse dans le Rallye des Cimes.

Stelles discoïdales dans le cimetière de Bidarray. On n'a pas fini de s'interroger sur l'origine de ces stelles, dont certaines portent parfois des symboles très peu chrétiens.

Dans les Pyrénées basco-
béarnaises, l'automne est
la saison de la chasse à la
palombe.

A droite, en haut. Dès le
lever du soleil, les vols de
palombes se lèvent dans
le ciel. Les oiseaux
migrateurs vont tenter
de franchir les cols où les
attendent les chasseurs.
Ci-dessous. Le chasseur,
dissimulé derrière un
poste de tir installé sur le
col, mitraille les
palombes lorsqu'elles
passent au-dessus de lui.
...

des symboles païens, comme la lune ou le soleil.

L'origine de ces discoïdes, leur forme, la surprenante inspiration de leur décor n'ont pas encore trouvé d'explication satisfaisante ; libre au promeneur d'échafauder ses propres hypothèses.

La vie calme de ces villages s'enfièvre à l'automne quand passent les palombes. Sur les cols de la montagne, les vols de ces pigeons ramiers effectuant leur voyage migrateur vers le sud de l'Espagne sont attendus par des centaines de chasseurs alignés dans des abris qui ressemblent à des bastions. Ces « fusils » viennent des villes environnantes et sont considérés avec un peu de condescendance par les chasseurs villageois qui préfèrent s'embusquer dans des « palombières », guérites branlantes qu'ils ont construites au sommet des arbres et camouflées avec des feuillages. A Lanne, les hommes du village pratiquent même une chasse collective à l'aide d'un filet qui barre le col des Pentières et s'abat sur les vols migrateurs rabattus sur

l'invisible obstacle par des cris et des palettes en bois de hêtre habilement lancées dans le ciel.

Au sud de Lanne et d'Arette s'ouvre le col de la Pierre-Saint-Martin, terme de cet itinéraire. Le 13 juillet, ce col sert de théâtre à la « Junte ». Cette cérémonie regroupe ainsi en pleine montagne les maires de la vallée béarnaise de Barétous et les alcaldes de la vallée navarraise d'Isaba revêtus de costumes noirs à fraise blanche. Cette Junte annuelle dont le déroulement comporte le serment de paix et le tribut de trois vaches par les Béarnais aux Navarrais, renouvelle des droits pastoraux inscrits dans une charte du XIIIᵉ siècle et fixant une coutume « immémoriale ». A ce titre, elle entretient la vitalité de l'un des plus anciens traités internationaux actuellement en vigueur.

Sous les pieds des célébrants de la Junte se dissimule l'une des plus vastes cavernes du monde, le gouffre de la Pierre-Saint-Martin. Le premier orifice découvert, la cheminée Lépineux, s'ouvre en territoire espagnol à quelques dizaines de mètres de la borne frontière. Depuis 1950, les spéléologues qui ne cessent d'inventorier les arcanes de ce réseau y ont décelé plus de 50 km de couloirs, entrecoupés de salles tellement énormes qu'elles font penser à quelque cirque souterrain. Trois rivières souterraines continuent leur travail d'érosion dans ce labyrinthe profond de 1 332 m.

Sans se hasarder dans ces arcanes inaccessibles aux touristes, on peut se promener en surface, à la découverte du lapiaz qui s'étend entre la station de ski de la Pierre-Saint-Martin et la pyramide rocheuse du pic d'Anie. Devant cette étendue lunaire, au roc fendillé d'innombrables crevasses, il faut de l'imagination pour concevoir que des rivières roulent trois cents mètres sous vos pas. Mais peut-être que cette réalité cachée comme un visage sous un masque est, à l'instar de ce Pays basque que l'on vient de traverser, un terroir dont la pittoresque apparence dissimule la force de traditions enracinées depuis des millénaires.

... Page 68, en bas. Autre technique, la chasse au filet. Un filet tendu entre deux arbres s'abattra sur les palombes emprisonnant le vol tout entier. Jadis très pratiquée, la chasse au filet qui exige une coopération de nombreux chasseurs se fait rare. (Coll. P. Minvielle.)

Le 13 juillet, à la « junte » de la Pierre-Saint-Martin, Barétounnais et Navarrais se jurent leur mutelle intention de bon voisinage. Le cérémonial de ce traité se renouvelle chaque année depuis au moins huit siècles.

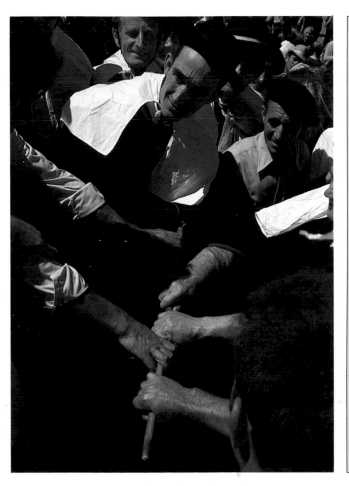

Ascension du pic d'Anie (2 504 m)

Point de départ : station de ski de la Pierre-Saint-Martin (1 650 m).

Durée : 6 heures (aller et retour).

De l'entrée de la station, emprunter une piste carrossable qui monte vers le sud à travers un lapiaz transformé pour les besoins du ski et atteindre la cuvette herbeuse du Pescamou où la piste s'achève. Longer la rive occidentale de la cuvette et s'élever ensuite en direction de

La pyramide du pic d'Anie se dresse au centre d'un vaste massif. On distingue, à gauche, le Soum Couy et le Contende ; à droite, les crêtes d'Analara. A leur pied, les plateaux enneigés de la Pierre-Saint-Martin dominent les verts mamelons de la haute Soule.

l'ouest par un sentier décrivant quelques lacets raides au milieu du gazon. On débouche au col du Pescamou (1 918 m) où se dresse la borne frontière 265. Belle vue sur la cuvette du Countent et les crêtes désolées d'Añalara. Suivre au sud-est une piste balisée à la peinture jaune et rouge.

1 h — Cabane métallique (camp de spéléo). Continuer à suivre les balises rouges qui montent au sud-est le long de la crête frontière. On arrive au pied d'un petit piton, le Murlong, caractérisé par une couche de calcaire beige couronnant des assises de calcaire gris.

1 h 15 mn — A partir de Murlong, l'itinéraire se complique car il pénètre dans le lapiaz. Désormais le cadre de l'itinéraire est un monde pétrifié, sans le moindre brin d'herbe, où une infinité de crevasses karstiques et de gouffres fendent de larges entablements calcaires entrecoupés de barres rocheuses.

Un petit vallon formé par un chapelet de dolines s'enfonce dans ce dédale rocheux. C'est l'axe que suit l'itinéraire jalonné de balises tracées à la peinture et de kairns. On descend quelque peu. Plus loin, on croise quelques pins à crochet disséminés dans le désert rocheux. L'itinéraire s'infléchit ensuite vers la droite et remonte nettement. On prend alors en enfilade un petit défilé creusé dans la masse calcaire. Au sommet de ce goulet on débouche sur un entablement. A l'horizontale, on traverse une pente couverte de menue pierraille.

2 h 10 mn — Col des Anies (2 030 m). Tourner à droite et se diriger plein sud (balisage rouge).

2 h 30 mn — Sentier bien visible dans les éboulis. Le suivre.

3 h 40 mn — Sommet du pic d'Anie. Vaste et magnifique panorama sur les confins basco-béarnais.

À cheval sur la frontière franco-espagnole, un itinéraire qui se déroule en grande partie dans le monde pétrifié et désertique du lapiaz.

Itinéraire n° 3
Dans le parc national des Pyrénées et le haut Aragon

Présentation du secteur

Entre le pic d'Anie à l'ouest et le pic d'Enfer, à l'est, les Pyrénées dressent soudain vers le ciel quelques-unes de leurs cimes les plus prestigieuses : les aiguilles d'Ansabère, au fond du cirque de Lescun, la double lance du pic du Midi d'Ossau et le Balaïtous, tout hérissé d'arêtes.

La frontière franco-espagnole emprunte ici la ligne de partage des eaux. De part et d'autre se creusent de profondes vallées qui se font curieusement face d'un versant à l'autre. La vallée d'Aspe, côté français, a pour vis-à-vis la vallée de Canfranc sur le versant espagnol, de l'autre côté du col du Somport ; et la vallée d'Ossau fait face à la vallée de Broto par-delà le col du Pourtalet.

Sous son grand parapluie qui le protège des intempéries de novembre, cet Aspois va regagner sa maison après avoir étalé le fumier sur le pré. A côté de lui, la vieille jument et le jeune chien partagent ses heures rudes et calmes.

La ligne de crête ne marque pas seulement le partage des eaux et la frontière politique, elle trace aussi une limite climatique. Le versant nord dépend de l'Atlantique et en reçoit des précipitations abondantes qui entretiennent une puissante couverture végétale. En revanche, le versant sud, méditerranéen, jouit d'un climat plus ensoleillé, plus sec et donc présente des pentes plus arides. Ce brusque passage d'une zone climatique à une autre est particulièrement sensible au col du Somport : il n'est pas rare de remonter la vallée d'Aspe en plein brouillard, plongé dans l'humidité et le froid de cet « ombret » tandis que le col à peine franchi on débouche sur un paysage où les falaises rouges de la peña Collarada baignent de lumière sous un soleil éclatant.

Dans ces quatre vallées d'Aspe, d'Ossau, de Canfranc et de Broto, les glaciers quaternaires ont sculpté des versants abrupts. Aussi l'étagement de la végétation y apparaît-il plus nettement qu'ailleurs : fonds de vallées agricoles et bocagers ; ceinture forestière de la hêtraie-sapinière barrant les pentes entre 900 et 1 700 m environ ; vastes pâturages, les « estives », couvrant l'espace de 1 700 m à 2 400 m ; neige et roc au-dessus de 2 400 m.

Ces territoires très montagneux abritent un précieux patrimoine naturel. Les cirques de Lescun, d'Aspe, de Rioseta, de Soussouéou, de Gourette ; les lacs d'Estaens, d'Ayous, d'Isabe ou d'Uzious composent des paysages très variés mais toujours précédés de premiers plans fleuris. De même, en dépit des coupes sombres dont certains secteurs de la hêtraie-sapinière ont été les victimes, les massifs forestiers conservent encore des hêtres énormes, des mélèzes géants. Dans les clairières, le Lis Martagon ; plus haut, le Carlin, les Saxifrages, l'Edelweiss sont les fleurons de cette flore de montagne. Au chapitre de la faune, les forêts cachent dans l'épaisseur de leurs sous-bois les derniers ours bruns de France. Le Lynx y est endémique. La zone des rochers sert de biotope à l'Isard, qui y vit en hardes parfois très nombreuses. L'Aigle royal, le Vautour fauve, le formidable Gypaète barbu, le Percnoptère d'Égypte, le Circaète Jean-le-Blanc, le grand Tétras, le Pic, le Loriot, la Mésange, le Geai, on n'en finirait pas d'énumérer les représentants de l'avifaune exceptionnellement riche qui peuplent sur les deux versants de la montagne et dans le ciel qui les domine.

Mais ces vallées sont aussi et surtout habitées par l'homme.

En dépit de la sauvagerie de certains défilés, la présence humaine est constamment sensible dans le fond des vallées.

Et à bien y regarder, ces montagnes qui furent béarnaises et aragonaises avant de devenir françaises et espagnoles ont un air de parenté.

De tout temps, ces vallées qui se font vis-à-vis ont servi de voies de passage transpyrénéen. Des armées, des convois de marchandises, des pèlerins de Saint-Jacques-de-Compostelle les ont empruntées. Mais la brèche qu'ouvre leur col dans la muraille des montagnes a surtout été franchie par des populations locales, parfois avec des intentions belliqueuses, souvent pour des échanges fraternels.

Dans ces vallées qui furent longtemps alliées, on devine que de vieux rapports humains ont accentué les similitudes issues du voisinage et de dispositions géographiques identiques.

Dans chacune de ces quatre vallées l'habitat est groupé en petits villages au bord du gave, tandis que des granges colonisent les pentes en lisière inférieure de la forêt. L'élevage des moutons pratiqué par transhumance a longtemps représenté l'activité économique dominante et reste l'une des grandes ressources de la population. Au contact de la plaine, ou juste un peu plus loin, s'est établie une ville de marché par vallée dont la croissance a fait une capitale administrative : Oloron-Sainte-Marie, Pau, Jaca et Sabiñanigo. Bref si l'on se borne à l'essentiel, le genre de vie de ces vallées est comparable et s'oriente aujourd'hui vers le tourisme.

Les stations de ski d'Astun, Candanchu, Formigal, Artouste et Gourette, les centres de montagne que sont Lescun, Broto, Panticosa, Gabas (Bious-Artigues) et Gourette, les stations thermales de Saint-Christau, de Panticosa, des Eaux-Chaudes et des Eaux-Bonnes, les nombreux aménagements touristiques dont le plus remarquable est le chemin de fer à voie étroite d'Artouste, « le train le plus haut d'Europe », font de ce secteur des Pyrénées un pôle du tourisme montagnard en toutes saisons.

Mais l'afflux touristique risquait de porter préjudice à l'exceptionnel patrimoine naturel de ce secteur. Aussi les États ont-ils pris des mesures de protection. Une réserve de faune a été instaurée dès 1912 par le gouvernement espagnol dans le massif de l'Anayette. Pour sa part, le législateur français a englobé toute la haute montagne des vallées d'Aspe et d'Ossau dans le parc national des Pyrénées occidentales.

Cette protection privilégiée qu'assure le parc national font de son territoire un sanctuaire pour les sites, la flore et la faune. En réalité, le territoire du parc national se divise en deux zones : une zone centrale ou parc national proprement dit, à l'intérieur duquel la nature est mise en réserve, et une zone périphérique davantage orientée vers la mise en valeur économique. Trois missions sont fixées à l'administration du parc national : la protection, l'information et la gestion. Des gardes assurent la surveillance des sites et la protection des équilibres naturels. Par ailleurs, des sentiers de randonnée furent tracés et de nombreux refuges de montagne furent construits, venant s'ajouter à ceux des associations d'alpinisme (Club alpin français, Touring Club de France, etc.), pour faciliter l'accès et l'hébergement des touristes qui visitent le territoire protégé. Aux « portes » du parc, dans les villages d'Etsaut et de Gabas, des bureaux d'accueil fournissent au visiteur toute l'information nécessaire, que les gardes du parc peuvent d'ailleurs compléter sur le terrain.

Mais l'administration du parc national doit aussi gérer les torrents et les lacs, les forêts, les pâturages, c'est-à-dire veil-

ler à maintenir un équilibre harmonieux entre les espèces sauvages et les activités humaines. Car des hommes, en particulier les bergers, vivent dans ces montagnes. Le pacage de leurs troupeaux fait aussi partie de l'écosystème montagnard et doit être maintenu. Bref quand on considère attentivement ce secteur des quatre vallées, la caractéristique qui y

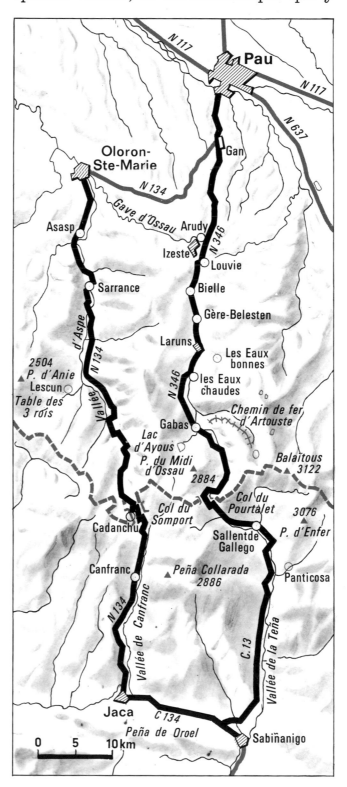

Itinéraire d'Oloron-Sainte-Marie à Pau, par Jaca et Broto.

paraît dominante est la richesse de son patrimoine naturel. Sa mise en valeur a, de tout temps, été le souci des populations. Mais actuellement le tourisme y est perçu à la fois comme une mâne et comme une menace. Aussi cherche-t-on des formules neuves où la protection de la nature ne soit pas un vain mot. Mais rien ne saurait se faire dans ce domaine sans la bonne volonté des touristes.

Moyens d'information

Cartographie

Michelin n° 42 et n° 85.
I.G.N. 1/100 000, n° 70.
I.G.N. 1/50 000, feuilles : Oloron, Laruns-Somport.

Bibliographie

A la découverte du haut Aragon, Dr C. Sarthou, 1973, Marrimouey, Pau.

Pyrénées occidentales, vol. I, « Aspe et Ossau », G. Boisson, R. Ollivier, J. et P. Ravier, 1960, R. Ollivier, 1, avenue Nitot, Pau ; vol. II, « De la vallée d'Ossau au val d'Azun », G. Boisson, R. Ollivier, J. et P. Ravier, 1963, R. Ollivier, Pau.

Haute Randonnée pyrénéenne, G. Veron, 1979, C.A.F., Paris.

GR 10, Hautes-Pyrénées et Haute-Garonne, 1975, C.N.S.G.R., Paris.

Guide du naturaliste dans les Pyrénées occidentales, C. Dendaletche : vol. I, « Moyennes Montagnes », Delachaux et Niestlé, 1973, Neuchâtel ; vol. II, « Hautes Montagnes », Delachaux et Niestlé, 1974, Neuchâtel.

Randonnées et Ascensions choisies dans le parc national des Pyrénées occidentales et ses environs, R. Ollivier, 1980, Librairie parisienne, Pau.

Musées

Arudy, Musée du parc national.
Gabas, salle d'exposition de la porte du parc national.
Jaca, Musée ethnologique.
Pau, Musée béarnais.

Accompagnateur

Jacky Feugas, Maison l'Étoile, 64260 Bescat.

Le comte de Bouillé est un caricaturiste méconnu. Son œuvre a sombré dans l'oubli. Ses croquis brossés au début du siècle, toujours empreints d'humour, devraient compter pourtant parmi les œuvres annonciatrices de la bande dessinée. C'est à cette intention que nous avons regroupé ici six dessins tirés d'ouvrages divers de cet artiste afin de reconstituer les étapes d'une ascension au pic du Ger. (Coll. Minvielle. Documents Maussier.)

Avec ses vieilles demeures plaquées sur les rives du gave d'Aspe, Oloron-Sainte-Marie conserve les traditions héritées de l'antique Iluro, la capitale des Ibères.

Page suivante. A condition de planter une rangée de peupliers pour assécher les prés dans les bas-fonds trop humides, le bocage oloronais donne un beau foin dont on pourra remplir les granges aux toits d'ardoise.

En vallée d'Aspe, le modernisme a ses mérites, mais la tradition garde aussi les siens et le motoculteur à essence y voisine fort bien avec le vieux traîneau tiré par un mulet.

D'Oloron-Sainte-Marie à Pau, par Jaca et Broto

Durée de l'itinéraire : 2 jours (217 km).

Cet itinéraire d'Oloron-Sainte-Marie à Pau par les villes espagnoles de Jaca et de Broto remonte la vallée d'Aspe jusqu'au col du Somport où il pénètre en territoire espagnol, descend la vallée du rio Aragon jusqu'à Jaca. Dans cette ville, il tourne vers l'est jusqu'à la hauteur de Sabiñanigo, puis revenant vers le nord, il remonte le val de Tena, rentre en France en franchissant le col du Pourtalet et descend la vallée d'Ossau avant de s'achever à Pau.

Oloron-Sainte-Marie, l'antique Iluro, la cité des Ibères, a d'abord été bâtie au sommet d'un piton où se trouve toujours la vieille ville tassée autour de la vénérable église Sainte-Croix. La basse ville dont les maisons pittoresques surplombent le gave d'Aspe s'organise autour de la cathédrale Sainte-Marie. C'est un bel édifice roman dont les chapiteaux racontent l'histoire locale : sur l'un d'eux, par exemple, on peut voir la pêche au saumon, tandis que sur le portail, le pilastre du trumeau représente des esclaves enchaînés en souvenir sans doute des temps agités du Moyen Age local.

En se dirigeant vers le sud, on aborde la montagne à Asasp, à 8 km d'Oloron. Asasp occupe la première de ces clues qui jalonnent la vallée d'Aspe en alternance avec des bassins. A la clue d'Asasp succède le bassin de Lurbe-Saint-Christau. Lui fait suite le défilé d'Escot aux parois abruptes, suivi du maigre bassin de Sarrance. Les méandres du défilé de Labay précèdent la vaste et riche cuvette de Bedous, inattendue au cœur de ces montagnes. Ce bassin est fermé en amont par le défilé d'Esquit, au-dessus duquel confluent les deux branches constitutives du réseau hydrographique : le haut gave d'Aspe et le gave de Lescun. Sur chacune des deux branches, la succession des clues et des bassins continue : défilé de Cette-Eygun, bassin d'Etsaut, défilé du Portalet, bassin d'Urdos sur le gave d'Aspe ; défilé du Pont-du-Roi, bassin de Lescun sur le gave de Lescun. Les deux branches se terminent sur de superbes cirques dolomitiques : le cirque d'Aspe, bien visible depuis les prairies de Peyranère, et le cirque de Lescun où les orgues d'Oueillarisse, la pyramide du pic d'Anie et la Table des Trois-Rois précèdent les remarquables aiguilles d'Ansabère. La plus petite des deux aiguilles d'Ansabère, surplombante sur toutes ses faces, est peut-être la montagne la plus difficile à gravir dans les Pyrénées. En 1923, sa première ascension par Calame et Carrive, coûta la vie à

Carrive à la montée et à Calame à la descente.

Dans ces gorges sauvages, la route se faufile avec peine, empruntant çà et là le tracé d'une voie romaine, tandis que la voie ferrée (désaffectée à partir de Bedous) passe de viaduc en tunnel. Les voyageurs de jadis, pèlerins ou commerçants, faisaient halte à Sarrance où ils vénéraient la Vierge noire que l'on peut encore voir dans l'église ; ils se reposaient dans un cloître dont l'architecture du xve siècle correspond bien à l'austérité de son sauvage environnement de montagnes. Plus haut, dans la clue du Portalet, gardée par son fort, il faut remarquer à gauche le débouché de la gorge d'Enfer et la corniche qui y a été taillée de main d'homme dans la falaise. C'est le chemin de la Mâture, dont le nom évoque l'exploitation de la forêt pyrénéenne de jadis, en vue de fournir des mâts pour la marine à voile. L'exploitation des sapins des Pyrénées remonte à Colbert. Au xviie siècle, le ministre décida de reconstituer la flotte de guerre de Louis XIV et les fûts de sapins furent recherchés à cet effet. Abattus, réduits en grumes, ils étaient lancés dans les ravins en attendant que les crues de printemps en acheminent la majeure partie vers le bas de la vallée. Là, ils étaient groupés en trains de bois par des spécialistes venus de Bretagne ou du Pays basque et conduits vers Bayonne, où se situaient les chantiers de construction navale. Cette exploitation s'est développée au cours du xixe siècle, lorsque l'on commença à utiliser la technique de l'évacuation par câble qui subsiste encore aujourd'hui. Bien entendu, la plupart des secteurs forestiers ont beaucoup souffert de cette exploitation intensive. C'est ainsi que dans le bois du Pacq, que dessert le chemin de la Mâture, il est impossible de savoir quelle était la proportion initiale des sapins par rapport à celle des hêtres.

Un bref trajet à travers le territoire du parc national, devant le beau cirque d'Aspe, achève cette remontée de la vallée d'Aspe. On atteint la crête frontière au col du Somport.

Sarrance. Panneau en bois peint représentant une pêcheur de truites (début xixe s.).

Somport, du latin *Summus Portus,* le « Sommet du Passage » ; cette étymologie fixe l'antiquité du transit à cet endroit élevé. Une mention de ce col figure sur l'Itinéraire d'Antonin. Là passait la voie romaine reliant Cesarea Augusta (Saragosse) et Bordeaux. L'armée d'Hasdrubal y franchit les Pyrénées ; au Moyen Age, des chevaux de bâts y défilèrent portant les brocards et la myrrhe de l'Orient ou les dentelles de Gand. Aujourd'hui encore, des camions transitent chaque jour pour approvisionner les usi-

Depuis quatre siècles au moins, l'exploitation des forêts aspoises connaît une grande activité. Ici l'écorçage des grumes.

Le col du Somport vu d'avion. Ce sont les Romains qui ont donné le nom de Somport (Summus portus) à ce point culminant sur la voie reliant Saragosse (Cesarea Augusta) à Oloron (Iluro).

nes de Sabiñanigo en bauxite et en soufre français. Cette circulation quotidienne oblige les services des Ponts et Chaussées à un déneigement ininterrompu en hiver, ce qui devient certains jours une prouesse, mais aussi une garantie pour les automobilistes : il est rare que la circulation soit interdite au col du Somport.

Deux stations de ski, comptant parmi les plus dynamiques de l'Espagne, voisinent avec le Somport : Candanchú, en contrebas du col, et Astun implanté à l'est, sur les crêtes qui séparent le Somport et la vallée d'Ossau. Les skieurs y bénéficient de nombreuses remontées mécaniques et se laissent emporter par cette ambiance chaleureuse propre aux stations espagnoles.

Au cours de la descente vers Canfranc, les différences qui opposent la couverture végétale dans cette vallée du rio Aragon et dans sa voisine la vallée d'Aspe, frappent l'œil le moins averti. C'est qu'en versant méditerranéen la zone forestière est plus maigre qu'en versant

La gare « internationale » de Los Arañones, à Canfranc.

atlantique. Quelques rares pins à crochet seulement subsistent vers 1 800 m, à la hauteur du curieux cirque de Rioseta. Plus bas, sous l'effet conjugué du climat et du pacage des ovins, la hêtraie-sapinière est en lambeaux, remplacée par des pinèdes récemment plantées par les services forestiers espagnols afin de maintenir les sols en place.

De petits villages agricoles jalonnent la vallée, au milieu desquels Canfranc, avec sa gare internationale et ses immeubles collectifs badigeonnés de couleurs criardes fait figure de cité ouvrière.

Au débouché du thalweg, Jaca partage sa destinée entre l'armée et le commerce. Si sa forteresse est aujourd'hui transformée en université et abrite un beau musée ethnologique, la place reste une ville de garnison. Mais les rues et les venelles de Jaca regorgent de boutiques marquant le rôle de cette ville de marché. Jaca est aussi une ville d'art émaillée de beaux monuments. Sa cathédrale San Pedro dont la construction fut entamée dès 1080 fut le phare de l'art roman

dans tout le haut Aragon. Mais Jaca rayonna aussi sur les populations montagnardes grâce aux « fueros ». Cet ensemble de privilèges accordé à la ville par le roi d'Aragon dès la fin du XIe siècle fut considéré comme un symbole d'indépendance populaire. Exportée par la voie du Somport, cette notion de privilège donna aux peuples d'Aspe et d'Ossau, puis aux autres vallées des idées d'indépendance. Dès le XIIIe siècle, les vallées d'Aspe et d'Ossau obtinrent de leur suzerain des

Non loin de Broto, le village de Torla sert de porte au parc national espagnol d'Ordesa, qui occupe le majestueux canyon d'Arrazas, dont on aperçoit ici les premières falaises.

Haut-lieu de l'histoire aragonaise, le monastère de San Juan de la Peña réunit tout à la fois un vénérable monument religieux, le cénotaphe des anciens rois d'Aragon et un superbe cloître roman sous les voûtes d'une grotte d'où partit la reconquête des territoires occupés par les Arabes.

« fors » qui firent de ces vallées des territoires autonomes régis par une assemblée collégiale, le Syndicat de la vallée.

La peña de Oroel et la peña de San Juan barrent l'horizon de Jaca vers le sud. Une grotte creusée dans la sierra de San Juan dissimule le monastère-vieux de San Juan de la Peña. Son église rupestre, son cloître d'un beau roman mozarabe, que l'on dirait écrasé par l'auvent rocheux qui le surplombe, et le cénotaphe des rois d'Aragon en font un monument pittoresque. Mais San Juan de la Peña est aussi un haut lieu de l'histoire aragonaise, le site caché d'où partit, au Xᵉ siècle, l'un des élans qui amorçaient la Reconquête du territoire espagnol soumis par les Arabes.

Les falaises ocres de la sierra de Oroel jusqu'au débouché du val de Tena où l'on pénètre en laissant sur la droite la ville industrielle de Sabiñanigo. La vallée de Tena, d'origine glaciaire mais empruntée par le rio Gallego, connaît actuellement une active mise en valeur tant sur

le plan forestier que sur le plan énergétique ou touristique. Ses sols morainiques sont mis à profit par le service forestier espagnol. Un formidable travail de repeuplement forestier a été aussi entrepris sur ces versants. Avant d'arriver au village de vacances de Broto, on aperçoit les taches sombres des jeunes pinèdes plantées jusque sur les pentes les plus raides de la vallée.

De même, l'abondance des eaux dans ce bassin du Gallego a justifié la construction de plusieurs barrages et usines

A gauche. Terre héroïque qui sut résister à l'invasion musulmane, le haut Aragon fourmille de monuments romans, à l'instar de la cathédrale San Pedro de Jaca où se trouve ce chapiteau.

Dominant la plaine de Jaca, la peña de Oroel prend des allures de château fort dont le donjon se perd dans les nuées.

électriques. A Bubal, on n'a pas hésité à noyer une partie du village, et les maisons aux fenêtres béantes qui pointent hors de l'eau composent un décor propre à enthousiasmer les amateurs de surréalisme. Si la tradition thermale et touristique des Bains de Panticosa, cachés au fond de la gorge de l'Escalar, au pied du pic d'Enfer, dans une pittoresque zone de lacs, jouit d'une réputation depuis longtemps établie, la station a elle aussi été modernisée. Enfin, au-dessus de Sallent de Gallego, la toute récente station de ski de Formigal est en pleine expansion grâce à l'afflux de puissants investissements.

Quand on rentre en France en venant de ce fiévreux val de Tena, on a l'impression de débarquer dans un havre de paix. L'impression n'est d'ailleurs pas complètement fausse, puisqu'en franchissant le col du Pourtalet on pénètre aussi dans la zone centrale du parc national des Pyrénées occidentales et on longe en même temps la réserve espagnole de l'Anayette. L'ensemble forme une vaste zone de protection qui a permis notamment la sauvegarde de l'isard. Très semblable au chamois des Alpes, l'isard était en voie d'extinction, mais depuis la création du parc, au contraire, l'espèce prolifère. Au printemps, il n'est pas rare d'en voir brouter une centaine au bord de la route. L'été, les isards se réfugient dans des secteurs plus accidentés où le moindre bruit déclenche leur fuite. Ils sautent dans les escarpements et cela donne lieu à d'extraordinaires acrobaties.

En descendant la route du val de Brousset en direction de Laruns, on rencontre l'usine électrique d'Artouste, précédée du barrage de Fabrèges et voisinant avec le téléphérique de la Sagette qui donne accès à la station de ski et au train d'Artouste. Par une belle journée d'été, cette confortable excursion à Artouste est très recommandée. Assis dans les wagons de ce tortillard, le touriste longe sur un trajet de dix kilomètres les précipices qui ferment la vallée de Soussouéou. On peut observer la vie des troupeaux et des bergers que chaque été ramène dans ce petit monde ceinturé de hautes montagnes.

Le panicaut de Bourgat, improprement appelé le chardon bleu des Pyrénées.

Un isard fait le guet, prêt à fuir à la moindre alerte.

Le petit train d'Artouste. Assis sur les banquettes de ces wagonnets, les touristes vont de la station supérieure du téléphérique de la Sagette jusqu'au barrage d'Artouste. Les 10 km de ce trajet effectués au cœur de la montagne offrent des visions inoubliables.

Fabriqués selon des recettes ancestrales par les bergers isolés dans les « estives », les fromages « pur brebis » s'empilent durant l'été dans la fraîcheur du saloir.

Dans toutes ces vallées, l'élevage des moutons relève d'une tradition millénaire. La répartition des troupeaux qui viennent passer l'été sur les estives dépend des décisions du syndicat pastoral qui dans chaque vallée regroupe des représentants des communes, selon des dispositions déjà inscrites dans les « fors » du Moyen Age. Les bergers qui séjournent à la montagne avec les troupeaux dorment dans une cabane, doivent traire les brebis matin et soir. Le lait sert à fabriquer les fromages. Le « pur brebis » d'Ossau est particulièrement recherché par les gourmets.

Entre l'usine d'Artouste et le village de Gabas, une bifurcation conduit à Bious-Artigues, l'un des plus beaux sites des Pyrénées. Un tronçon du GR 10 et de nombreux chemins tracés ou améliorés par le parc national permettent des excursions sous des frondaisons de sapins alternant avec des pâturages fleuris jusqu'aux lacs d'Ayous, par exemple, et d'y observer la fourche basaltique du superbe pic du Midi d'Ossau reflétée par le miroir des eaux.

A Gabas est installée une porte du parc national. En aval de la localité, la route traverse une épaisse forêt. Son chêne le plus vénérable (à droite de la route) porte le nom de « chêne de l'ours » depuis que ces plantigrades l'ont pris en point de mire et passent à son pied au cours de leurs randonnées nocturnes.

Car cette forêt est l'un des biotopes des derniers ours bruns des Pyrénées. Bien que sa longueur (2,4 m) et son poids

Ni les rochers, ni la neige profonde, rien n'arrête l'ours des Pyrénées... sauf la balle du chasseur. Mais, aujourd'hui, l'ours des Pyrénées est une espèce en voie de disparition. Sa battue est rigoureusement interdite.

Page suivante. Peu à peu, les aménagements humains prolifèrent dans la montagne. Au pied du pic du Midi d'Ossau, le Cervin des Pyrénées, un barrage hydroélectrique a transformé la cuvette de Bious-Artigues en un lac artificiel.

(l'adulte pèse entre 120 et 400 kg) lui confèrent une force peu commune, l'animal préfère se cacher et les sous-bois touffus lui conviennent. Son pelage qui varie du brun au noir selon les individus lui permet de se dissimuler sous le couvert du sous-bois. De plus, son rayon d'action (25 km en une seule nuit) lui permet de s'éloigner d'un secteur devenu dangereux.

Ces facultés rendent l'étude de l'ours particulièrement difficile, et son écologie reste encore mal connue. On peut dire cependant que le biotope de l'ours brun se situe actuellement dans la hêtraie-sapinière, entre 1 100 m et 1 500 m d'altitude. On sait aussi que le rythme biologique de l'animal favorise son adaptation aux conditions physiques du milieu. Le climat influence la vie de l'ours qui hiberne en janvier, mois le plus neigeux de ce biotope, et ne se réveille qu'en mars avec la fonte des neiges et le renouveau du printemps. De mars à décembre, son comportement va encore obéir aux

Les hêtraies non jardinées, comme les appellent les forestiers, se font de plus en plus rares. Leur disparition entraîne l'extinction des ours qui y trouvaient leur biotope.

variations climatiques. C'est ainsi qu'un temps froid le conduira dans les broussailles d'adret, tandis que le vent du sud, les temps chauds et orageux l'inciteront à aller plus volontiers dans les ravins ombreux.

Les rythmes saisonniers déterminent l'alimentation de l'ours et, par conséquent, ils jouent un rôle dans le rythme vital du plantigrade. Durant l'hiver, lorsque celui-ci est privé de toute nourriture, il se réfugie dans une tannière pour hiberner. Il dort alors d'un sommeil léger, qui permet à son métabolisme de diminuer dans des proportions notables. Il semble que l'appétit de l'ours soit alors nul. L'animal survit grâce à ses réserves de graisse et son organisme perd le cinquième de son poids chaque hiver. Si bien qu'à son réveil, en mars, l'animal est affamé. Son alimentation est alors éclectique, plutôt végétarienne les années humides, plutôt carnivore les années sèches. En fait, il mange tout ce qui se présente : racines, baies sauvages, faines, oignons de jacinthe mais aussi 75 kg de viande (brebis tuées ou charognes, truites...). L'automne venu, les faines de hêtre lui fournissent les lipides vitaminés que son organisme met en réserve pour hiberner.

Son métabolisme lui-même dépend des variations saisonnières du climat et cet aspect de la physiologie de l'ours explique peut-être que l'espèce soit en voie de disparition. En effet la reconstitution de ses réserves organiques s'effectue au printemps, le rut en été, lorsque l'animal dispose de sa vitalité maximale, et la constitution de nouvelles réserves en vue de l'hibernation a lieu à l'automne. Si, pour une raison ou une autre, la période de rut est retardée, ou bien le rut ne se produit pas et la reproduction de l'espèce n'est pas assurée, ou bien la capacité énergétique de l'animal se trouve diminuée et l'ours risque de mourir de faim lors de l'hibernation. Or, la multiplication des routes et des chemins, renforçant la présence de l'homme, équivaut à réduire le territoire où l'ours se sent en sécurité. Il est vraisemblable que ceux qui survivent sont le plus souvent cachés, que durant tout ce temps ils ne peuvent

s'alimenter et tardent donc à reconstituer leurs réserves. Par conséquent, le rut est compromis, voire annulé. L'ours si fréquent encore il y a un siècle, ne possédait plus que soixante-dix représentants environ en 1970 ; on en compte actuellement une trentaine tout au plus dans les Pyrénées occidentales. Certes, un décret d'avril 1962 a interdit la chasse à l'ours et la création du parc national a pu être considérée comme l'établissement d'un sanctuaire protecteur de l'espèce. Malheureusement la plupart des forêts à ours sont situées en dehors de la zone centrale du parc. Aussi des voix s'élèvent-elles pour protéger les derniers survivants

Les Eaux-Chaudes, sur le gave de Brousset dont on achève de descendre les gorges, comme les Eaux-Bonnes, sur le gave du Valentin qui dégringole du beau cirque de Gourette, sont des stations thermales dont les eaux sulfurées sodiques conviennent au traitement des affections des voies respiratoires. Ces deux

des Eaux Bonnes.

stations, qui connurent la vogue sous le Second Empire, ont su s'adapter à une clientèle contemporaine plus soucieuse de cure que de mondanités.

Le fond de la vallée d'Ossau proprement dite égrène de gros villages, Laruns, Gère-Bélesten, Bielle, Izeste, Louvie-Juzon et Arudy dont l'économie, hier tournée vers l'élevage des ovins (Bielle était la capitale d'Ossau et le siège du syndicat pastoral), s'oriente vers la culture du maïs.

Entourée de maisons Renaissance, l'église de Bielle s'orne de colonnes tirées de la villa romaine dont est issue la localité. Ces colonnes ont toujours été un sujet de fierté pour les habitants du village. Le roi Henri IV en eut envie et les réclama. Comment refuser ? Le jurat de Bielle trouva tout de même dans le légendaire esprit de finesse des gens d'Ossau la réponse qui convenait : « Sire, dit-il, nos cœurs et nos vies sont à vous, mais ces piliers sont à Dieu ; c'est avec lui qu'il faut vous arranger. »

Une moraine apportée par le glacier quaternaire responsable du creusement de la vallée enferme Arudy dans un bassin presque hermétiquement clos. Une fois franchi cet ultime obstacle, on chemine à travers un lacis de collines vers Pau, la ville natale d'Henri IV. Et ce sont les vignobles de Jurançon, fournisseurs de ce vin doré dont furent baptisées les lèvres du royal nouveau-né (et après lui, tous les enfants du Béarn), qui servent de clôture à ce périple à travers une nature montagneuse encore presque intacte.

A Pau, on visite le château d'Henri IV construit sur un éperon commandant la basse ville et le gave.

Du château d'Henri IV au parc Beaumont, le long du boulevard des Pyrénées, le promeneur découvre un inoubliable panorama de montagnes. « C'est la plus belle vue de terre » s'écria Lamartine devant ce hérissement de pics qui occupe tout l'horizon. (Coll. P. Minvielle.)

Pau. Chaine des Pyrenées, Vue prise de la Place Royale.

D. T. Edit. Serie 2. No. 32

Pages suivantes. A gauche : à Bielle, ancienne capitale de la vallée d'Ossau, le 15 août est jour de fête. La population en profite pour revêtir les somptueux costumes traditionnels. A droite : dans la rue principale de Laruns, les vieilles maisons qui ont vu passer les diligences résistent aux intempéries.

Excursion pédestre aux lacs d'Ayous

Durée : 3 ou 4 heures (aller et retour).

Le chemin des lacs d'Ayous s'amorce devant le parking et longe d'abord la retenue du barrage artificiel de Bious-Artigues. Les prairies qui avoisinent ce lac artificiel accueillent les amours des Grenouilles rousses. A la fin du printemps, juste après la fonte des neiges, on peut voir des amas gélatineux reposant dans des flaques d'eau : ce sont les ovules aspergés par la semence mâle et imbibés d'eau. Quelques semaines suffisent pour voir évoluer les têtards, puis les grenouilles qui sont fort nombreuses au début de l'été... avant de servir de pâture aux oiseaux de proie.

Suivre le fléchage mis en place par l'administration du parc pour monter à travers la hêtraie-sapinière le long d'un excellent chemin. Le sous-bois est ici remarquable. Le visiteur aborde une hêtraie-sapinière en terrain acide. La roche mère est ici constituée par des éboulis de pente à base de granite, de porphyre et de quartz. Le sous-bois est formé par des mousses et des myrtilliers, mais surtout par une strate arbustive où abondent les framboisiers, les groseilliers et le sureau. Cette association phytosociologique est celle qui colonise les éboulis de pente acides ; en sous-bois, elle représente un stade pionnier du couvert végétal. La putréfaction des feuilles des arbustes a permis la constitution d'un humus qui aboutit à la création d'un sol léger, sur lequel peut croître la strate arborée des hêtres et des sapins.

Au-delà de la limite supérieure de la forêt, le chemin débouche sur l'alpage et ne tarde pas à atteindre le premier lac d'Ayous, le lac Romassot (superficie : 3,5 ha ; profondeur : 16 m). Un ressaut le sépare du lac de Meyt, alimenté par le déversoir du troisième lac, celui de Gentaou, le plus beau de l'ensemble. Profond de 20 m, s'étendant sur 9 ha, il occupe une cuvette en balcon devant le pic du Midi d'Ossau dont la silhouette se reflète sur ce miroir liquide. Un chalet du parc national est implanté sur la berge. Au-dessus s'étend le quatrième lac d'Ayous, le lac Bersau, sauvage, étalé sur 13 ha,

profond de 30 m et serré entre des falaises. Le fond garni d'alluvions d'origine nivale, la température assez basse des eaux (inférieure à 10 °C) et leur excellente oxygénation font de ces lacs des domaines privilégiés pour la truite. Elle s'y nourrit des insectes qui abondent sur les rives gazonnées et tombent à l'eau. Le plateau sous-lacustre est par ailleurs colonisé par des algues sombres, les isoètes, qui forment une ceinture plus dense à l'approche des berges et où la truite peut se cacher.

Il est intéressant de remarquer que la truite commune est ici indigène. Cette espèce semble avoir été « piégée » par les lacs et constitue un véritable fossile vivant. On peut supposer, en effet, que la truite commune abondait à l'époque glaciaire dans les gaves et qu'elle a remonté les torrents au fur et à mesure du recul des glaciers quaternaires. Au moment où ce recul s'est produit, l'érosion a dégagé les cuvettes lacustres qui furent aussitôt colonisées par les truites. Ensuite, l'érosion qui s'est localisée sur les déversoirs en a accentué la pente, juste en aval du verrou glaciaire, et a fermé la cuvette lacustre par une barre rocheuse. Ainsi les truites pouvaient à la rigueur descendre le déversoir mais ne pouvaient plus remonter dans le lac, car la pente d'accès était devenue trop raide. Ces colonies de truites ont donc été isolées dans chaque lac durant des millénaires, sans croisement possible avec d'autres espèces. Elles ont gardé la pureté des caractères spécifiques de la souche : de larges taches rouges et de petites écailles. Ces caractéristiques s'atténuent au contraire chez les individus de la même espèce que l'on peut pêcher dans les torrents en aval.

Du quatrième lac d'Ayous, on descendra par les lacs de Castéraou qui subsistent dans une langue calcaire où les eaux de leurs déversoirs s'engloutissent. Ce déversoir souterrain, exploré par l'auteur, restitue les eaux ainsi capturées par une résurgence située 200 m plus bas. Les éboulis qui proviennent de la falaise de Castéraou servent de biotope aux marmottes. Celles-ci ont été réintroduites depuis quelques années par l'administration du parc national, alors que cette espèce avait disparu des Pyrénées depuis plusieurs siècles. La marmotte, qui hiberne de septembre à mars, vit en groupe dans des terriers cachés sous les blocs. L'adulte a une robe grise ou beige, son poids peut atteindre 8 kg.

La descente se poursuit jusqu'à la plaine de Bious. Depuis le ressaut précédant cette étendue plane, on voit parfaitement qu'il s'agit d'un ancien lac comblé par les alluvions. On distingue par exemple, en aval, le verrou de retenue. On voit aussi que ce comblement n'est pas définitif : dans la partie méridionale et orientale de la « plaine », au contact des éboulis tombés du pic du Midi d'Ossau, un réseau aquatique indépendant du gave de Bious serpente au milieu des terrains plats. Dans la zone spongieuse, on peut observer la transition entre un peuplement végétal lacustre avec des isoètes et un peuplement de prairie alpine à graminées et fétuques ; le stade intermédiaire est assuré par un peuplement de tourbière avec sphaignes. Ce milieu est le biotope d'un insecte rare, l'Elaphus pyrenaeus.

A l'extrémité de la plaine de Bious, un pont enjambe le gave et permet au sentier que l'on suit de rejoindre le chemin de Bious-Artigues.

Excursion pédestre, le tour de l'Ossau

Durée : 5 h 30 mn.

L'excursion autour du pic du Midi d'Ossau s'amorce sur la pente nord-est du parking de Bious. Le chemin balisé et fléché par le Parc national monte dans la forêt de Bious et prend en enfilade le vallon de Magnabaigt pour gagner le col du Suzon. Ce tronçon est d'un haut intérêt géologique puisqu'il gravite autour de la double et superbe pyramide du pic du Midi, le « Cervin des Pyrénées ». Selon H. de Lapparent (1911), il s'agirait des restes d'un volcan démantelé, dont l'éruption remonterait à l'époque permienne. Selon F. Bixel (1970) qui se fonde sur une analyse pétrographique fine, on serait plutôt en présence d'un laccolite dressé, c'est-à-dire une masse

En marchant, sac au dos, sur les pentes du col de Suzon, on gagne les horizons de la haute vallée d'Ossau.

de roches éruptives disposées à l'intérieur des sédiments, sous la forme d'une lentille ou d'un dôme. Formé de dacite (une andésite à inclusions de quartz), l'Ossau serait alors postérieur au soulèvement hercynien.

Au col de Suzon, le chemin qui côtoie le pied des falaises de l'Ossau descend dans le cirque de Pombic où il passe à proximité d'un refuge du Club alpin français, puis remonte au col de Peyreget. Dans le chaos de gros blocs qui ceinture le pied des falaises, il n'est pas rare d'apercevoir des isards. Cette sous-espèce pyrénéenne du chamois alpestre s'est trouvée séparée de celui-ci lors du retrait des grands glaciers, au quaternaire ancien. L'isard est un ruminant à cornes creuses, aux mœurs de grimpeur comme la chèvre, que son anatomie rapproche de l'antilope. Gracieux et craintif, il vit en hardes conduites par un animal âgé et gardé par des sentinelles. L'approche de l'intrus déclenche la fuite du troupeau vers les escarpements rocheux où, grâce à son agilité, l'isard accomplit des acrobaties spectaculaires. L'été, il

Parmi les papillons de la montagne, l'apollon (Parnassus Apollo) est l'un des plus somptueux. On l'observe l'été vers 2 000 m d'altitude.

paît la pelouse de haute altitude et passe une partie de la journée à ruminer ; l'hiver, il descend vers la sapinière où il se nourrit de lichen et d'écorce. Le printemps lui fournit des bourgeons, notamment ceux du sorbier, qui lui permettent de reconstituer ses réserves, amenuisées par les disettes hivernales. L'espèce, jadis très menacée, semble maintenant sauvée. En effet, une réserve de chasse a d'abord été constituée autour de l'Ossau pour protéger l'isard, puis cette zone a été englobée dans le territoire du parc national. Cette action prolongée a porté ses fruits. Les isards, qui se raréfiaient, se multiplient. Actuellement le taux d'accroissement est de l'ordre de 13 pour 100 par an, si bien que les environs immédiats de l'Ossau abritent maintenant plusieurs centaines de ce gracieux quadrupède.

Du col de Peyreget, descendre avec prudence, à travers les blocs, jusqu'au lac de Peyreget où l'itinéraire aborde une zone pastorale riche en faune entomologique. On y rencontre notamment des co-léoptères coprophages comme le Géotrupe, l'Aphidius ou le Staphylin. Cachés sous les pierres ou courant dans la pelouse, ainsi vivent les coléoptères carabiques avec, en tête, le superbe Scarabée doré. Dans l'herbe rase on voit courir les Chrysomélidés. Les papillons sont également très bien représentés par des espèces particulières à cette zone d'altitude comme le *Parnassus apollo* et l'Adonis ou par des espèces plus courantes et venues de zones plus basses : Piérides, Vulcain. Ces papillons sont la proie du Merle de roche, passereau méfiant et difficile à approcher, reconnaissable à son plumage gris, à ses ailes et à sa queue d'un gris sombre.

La descente vers Bious s'effectue dans la pinède à crochet dont on observera le peuplement discontinu dans la partie haute, puis plus dense, lorsque l'on perd de l'altitude.

Retour au parking de Bious-Artigues par le chemin décrit dans l'itinéraire des lacs d'Ayous.

Longeant lacs et gaves un itinéraire qui mène des sous-bois de la hêtraie sapinière aux grands espaces dégagés de l'alpage.

Itinéraire n° 4
Lourdes, Cauterets, Gavarnie

Présentation du secteur

Le 11 février 1858, vers 11 heures du matin, une gamine de quatorze ans, souffreteuse, fille d'un manœuvre en chômage, longe la berge du gave de Pau à la recherche de bois mort. La scène se passe près de la grotte Massabielle, à deux pas de Lourdes, l'obscure bourgade où la fillette habite. Elle ôte ses chaussettes pour franchir un ruisseau et quand elle se relève, elle aperçoit sur le seuil de la grotte « une dame environnée d'une grande clarté ». Bernadette Soubirous vit sa première apparition.

Sans Bernadette Soubirous et ses visions mystiques, Lourdes serait sans doute resté une banale localité du Lavedan et non la cité mariale qu'elle est maintenant, orientée vers la vénération de la Vierge Marie. Cette petite ville du piémont pyrénéen ne serait pas devenue ce pôle du tourisme qui accueille chaque année plus de trois millions et demi de visiteurs, pèlerins venus des quatre coins du monde catholique, mais aussi

Près du sommet du Vignemale, le soleil levant marque les rides dont les crevasses ont buriné la surface du glacier d'Ossoue. Dans cette immensité glacée, les trois caravanes de montagnards semblent perdues.

Franz Schrader. C'est à ce grand géographe, doublé d'un montagnard prestigieux, que l'on doit la cartographie du massif de Gavarnie.

touristes avides de découvrir à leur tour les prestigieux sites montagnards de l'arrière-pays lourdais. Car le hasard a voulu que les montagnes du Lavedan accumulent les merveilles naturelles. Le hasard ou plutôt la logique de la nature.

C'est un fait incontestable que la vallée du Lavedan, celle du gave de Pau, sur laquelle se greffent les digitations d'Arrens, de Cauterets, de Barèges et de Héas regroupe l'ensemble de massifs montagneux le plus varié de toutes les vallées pyrénéennes. La géologie y a mis du sien puisque les schistes du pic du Midi d'Arrens, les granites de l'Ardiden voisinent avec les glaciers du Vignemale et du mont Perdu, avec les calcaires de la Munia et de nouveau avec les granites du pic du Midi de Bigorre pour couronner la vallée principale et ses annexes. De splendides cirques, comme celui de Gavarnie ou celui de Troumouse provenant du puissant façonnage des glaciers quaternaires, ferment les vallées vers l'amont. Ce sont là des paysages minéraux que vient compléter la beauté des eaux sauvages, qu'il s'agisse de la gigantesque cascade de Gavarnie, des flots clairs des gaves ou des nappes comme ceux que forment les lacs de Migouélou, d'Arratille, de Gaube ou le chapelet des lacs de la Glère. Bien entendu, le parc national des Pyrénées occidentales englobe ces merveilles naturelles dans son territoire protégé. Au surplus, ce sanctuaire de la nature s'adosse, dans ce secteur, au territoire du parc national espagnol d'Ordesa destiné à sauvegarder l'extraordinaire canyon d'Arrazas. On comprend dès lors que cette portion des Pyrénées ait été qualifiée de « superbe vitrine de la nature en montagne ».

Le relief est ici l'élément dominant du paysage. Les altitudes sont très contrastées puisque les fonds de vallée s'étendent généralement entre 500 et 900 m d'altitude alors que la haute montagne culmine à 3 300 m environ (Vignemale : 3 298 m, mont Perdu : 3 355 m). Dans des vallées ou des vallons parfois très encaissés (3 km à vol d'oiseau séparent la ville de Cauterets, altitude 932 m, et le sommet du Péguère, altitude 2 316 m),

l'orientation en soulane ou en ombret devient capitale : elle commande la durée journalière de l'insolation, donc les rythmes thermiques diurnes et nocturnes et aussi la durée de l'enneigement annuel.

Les précipitations sont abondantes sur tout le secteur. La majeure partie du territoire considéré est englobée dans une zone où elles dépassent 2 000 mm par an. Au-dessus de 1 500 m d'altitude, la moitié de ces précipitations tombent sous forme de neige, de grêle ou de grésil.

Bien entendu, cet environnement hostile oblige les espèces vivantes à une adaptation difficile.

C'est ainsi que l'altitude, les basses températures, les fortes variations thermiques, les précipitations qui s'effectuent souvent sous forme de neige, favorisent la mort des formes végétales et animales plutôt que leur survie. C'est pourquoi, au nombre des communautés vivant dans ce milieu figure une quantité importante d'espèces spécifiques qui se sont réfugiées dans la montagne ou s'y sont trouvé « piégées ».

Cette lutte pour la vie se retrouve dans les aspects traditionnels de la vie humaine tels qu'ils ont pu se développer dans le Lavedan au cours des siècles passés. Ainsi la rareté des terres cultivables dans le fond des vallées a-t-elle abouti à une organisation sociale reposant sur la notion de collectivité. Dans certaines communes un système de rotation de la propriété foncière va jusqu'à attribuer successivement à toutes les familles du village un usufruit annuel sur les bonnes terres. Sur les versants, l'étage des granges, le plus souvent établi sur des plateaux d'accès difficile, est organisé pour accueillir un habitat saisonnier d'une partie des familles, système plus rare dans les Pyrénées que dans les Alpes. Enfin l'esprit de cohésion villageoise a conservé aux communes l'exploitation des ressources modernes qu'il s'agisse des eaux thermales qui font la richesse de Cauterets, de Barèges ou de Luz-Saint-Sauveur, ou qu'il s'agisse de la visite touristique de sites éloignés de toute route comme le lac de Gaube, ou le cirque de Gavarnie. Il a fallu l'aménagement des stations de ski (Cauterets-Pont d'Espagne, Gavarnie, Barèges, Luz-Ardiden) et la mise en valeur de l'énergie hydraulique (complexe Pragnères-Cap de Long), aménagements qui nécessitaient l'intervention de capitaux extérieurs à la vallée pour voir ébrécher les monopoles du « pays » que les « Toys » entendaient conserver.

Si l'infrastructure touristique rayonnant autour de Lourdes a désormais toutes les apparences du modernisme, la

réalité en abandonne tout de même encore une bonne partie à l'initiative locale. Le visiteur qui ne les apercevrait pas ou les tiendrait pour négligeables aurait tort de minimiser les détails de cette organisation. Pour se manifester de façon discrète, les considérations d'intérêt local n'en restent pas moins très vigoureuses en Lavedan.

Moyens d'information

Cartographie
Michelin n° 85.
I.G.N. 1/100 000, n° 70.
I.G.N. 1/50 000, feuilles : Argelès-Gazost, Gavarnie.

Bibliographie
Pyrénées centrales, vol. I, « Cauterets, Vignemale, Gavarnie, Canyons espagnols », P. Minvielle, R. Ollivier, J. et P. Ravier, 1965, R. Ollivier, Pau ; vol. II, « Bigorre, Arbizon, Néouvielle, Troumouse », X. Defos du Rau, R. Ollivier, J. et P. Ravier, 1968, R. Ollivier, Pau.

Randonnées et Ascensions choisies dans le Parc national des Pyrénées occidentales et ses environs, R. Ollivier, 1980, Librairie parisienne, Pau.

Haute Randonnée pyrénéenne, G. Véron, 1974, C.A.F., Paris.

GR 10, Hautes-Pyrénées et Haute-Garonne, 1975, C.N.S.G.R., Paris.

Les Pyrénées, les cent plus belles courses et randonnées, P. de Bellefon, 1976, Denoël, Paris.

Guide du naturaliste dans les Pyrénées occidentales, C. Dendaletche ; vol. I, « Moyennes Montagnes », Delachaux et Niestlé, 1973, Neuchâtel ; vol. II, « Hautes Montagnes », Delachaux et Niestlé, 1974, Neuchâtel.

Pyrénées des quarante vallées, P. Minvielle, 1980, Denoël, Paris.

Musées
Musée pyrénéen de Lourdes.
Musée ethnologique montagnard, à Aucun.
Porte du parc national, à Arrens.

Accompagnateur
Gérard Caubet, Arrens-Marsous, 65400 Argelès-Gazost.

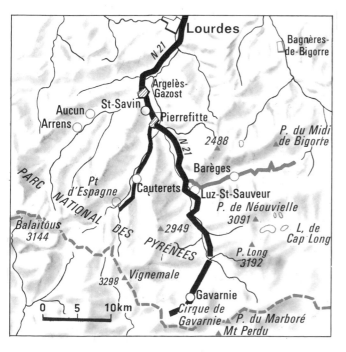

A Gavarnie, la nouvelle station des Espécières attire déjà les champions en herbe.

Itinéraire de Lourdes à Gavarnie.

De Lourdes à Gavarnie

Durée : 2 jours (200 km).

Le site de Lourdes garde l'empreinte du glacier quaternaire qui l'a modelé. Il y a 200 000 ans, une mer de glace épaisse d'un demi-kilomètre, partant de Gavarnie, achevait ici son rabotage. Avec les blocs erratiques que la glace charriait s'édifia cette moraine digitée qui ferme le bassin de Lourdes vers le nord. L'érosion glaciaire façonna aussi plusieurs bornes rocheuses, celle du Château-fort ou celle du Béout par exemple, qui hérissent de leurs pitons la cuvette où serpente le gave de Pau.

La position, fortifiée au Moyen Age, monta la garde à l'entrée de la vallée du Lavedan tout en servant de marché où s'échangeaient les produits de la montagne et ceux de la plaine. Le destin que la géographie fixait à Lourdes semblait donc tout tracé. Mais les apparitions dont Bernadette Soubirous fut le témoin mystique allaient bouleverser la croissance et la vocation de la ville. Dès 1864 a lieu le premier pèlerinage à la grotte des Apparitions. Aujourd'hui, la route, la voie ferrée (700 trains spéciaux s'ajoutent chaque année au trafic régulier), les lignes aériennes (4 000 avions par an atterrissent à l'aérodrome de Lourdes-Ossun) déversent près de 4 millions de visiteurs sur ce pôle du tourisme pyrénéen. La plupart vont en procession prier la Vierge Marie sur le parvis de la grotte, tandis que 600 000 malades, qui espèrent une guérison miraculeuse, sont baignés dans la piscine alimentée par la source qui jaillit au pied de la grotte. La basilique Saint-Pie-X, grand édifice de béton à demi enterré, est venu relayer la cathédrale désormais trop exiguë et accueille jusqu'à 20 000 fidèles à la fois. Dans les rues, des boutiques serrées les unes contre les autres offrent à la convoitise des pèlerins leur lot de médailles pieuses, de statues de la Vierge, de bidons pour contenir l'eau de Lourdes et confèrent à la ville un curieux aspect de souk. Le château fort transformé en Musée du pyrénéisme et du folklore local, le funiculaire du pic de Jer, le téléphérique

du Béout, les nombreuses compagnies d'autocars offrant des circuits touristiques vers la grotte de Bétharram, Cauterets, Gavarnie, Pau ou la Côte basque, proposent leurs loisirs à une clientèle chaque année plus nombreuse. Lourdes occupe une place à part dans le tourisme pyrénéen, mais son dynamisme est si grand qu'il rayonne sur tout son arrière-pays.

L'arrière-pays essentiellement montagneux est axé autour du gave de Pau. Quand on remonte la vallée du gave de Pau en amont de Lourdes, on laisse à gauche les ardoisières de Berbérust-Lias où le Lavedan puise les matériaux pour couvrir ses toits. De la Soule à l'Ariège, il n'y a pas une vallée où l'habitat ne soit couvert en ardoise. Chaque ardoisière est ouverte dans la couche des schistes primaires qui court d'un bout à l'autre de la chaîne. L'emplacement de la carrière définit même l'aire des couvertures en ardoise pour chaque secteur puisque ce mode de construction s'étend dans un rayon d'une journée de char à bœufs à partir de l'ardoisière.

A droite. La Vierge Marie, la grotte des Apparitions et l'ancienne basilique de Lourdes. (Image pieuse ; coll. P. Minvielle.)

Au pied du Hautacam, le château de Beaucens monte la garde devant Pierrefitte. (Affiche ; coll. P. Minvielle.)

Dévidoir à laine. Cet instrument sert à enrouler le brin de laine brute qui vient d'être filé à partir de la quenouille. (Coll. P. Minvielle.)

Le premier bassin que l'on rencontre, celui d'Argelès-Gazost, ancien fief du Prince Noir, est cerné de châteaux forts (à Arcizans-Avant, Argelès-Gazost et Beaucens) reliés par des tours à feu, qui confèrent un air héroïque à cette plaine agricole. Mais l'histoire nous apprend que le motif qui présida à la construction de ce système fortifié visait davantage l'organisation de l'octroi que des mesures guerrières. Argelès-Gazost est aussi une station thermale fabriquée puisque son eau provient de la vallée du Néez, à 10 km de là.

A mi-pente, en rive gauche de la vallée, un circuit culturel passe par Aucun, Arrens, Arcizans-Avant et Saint-Savin. A Aucun, un ancien instituteur a réuni dans un Musée ethnologique, des collections d'objets usuels de jadis où l'on peut voir de curieuses « cabanes à loup » où se réfugiaient les bergers, des dévidoirs à laine, des cuillères à crème en bois sculpté. A Arrens, la chapelle de Pouey-Laün christianise depuis des siècles une butte où s'élevait un temple païen.

En revenant, il faut s'arrêter à la Vole-rie des aigles aménagée dans les dépendances du château du Prince Noir à Arcizans et voir les aigles et les vautours évoluer, attirés par un fauconnier. (De l'autre côté de la vallée, à Beaucens, un autre zoo privé, le Donjon des aigles, propose un programme analogue.)

Ensuite on gagnera Saint-Savin, petit village établi sur un replat de la vallée autour d'une curieuse église fortifiée par les Templiers. Cet édifice religieux abrite un grand christ en bois du XIVe siècle dont le regard fixe le monde avec une indulgence qui vient d'au-delà de la douleur. On y remarquera aussi un « bénitier des cagots » comme il y en a tant dans les églises pyrénéennes. Qui étaient ces « cagots » dont tout indique qu'ils constituaient une race de parias dans les vallées pyrénéennes ? S'agissait-il d'anciens esclaves ? De chiens de goths soumis par les gens du terroir ? De descendants de lépreux ? L'énigme reste entière et chacun est libre d'échafauder sa propre hypothèse.

A Pierrefitte-Nestalas, tourner à droite pour prendre la route de Cauterets, qui est l'une des principales stations thermales des Pyrénées. L'une des plus anciennes aussi. En 1546, Marguerite de Navarre, profitant d'un séjour qu'elle effectuait à Cauterets y rédigea le prologue de son fameux *Heptaméron*. Trois siècles plus tard, à l'époque romantique, Cauterets connut la grande vogue au même titre que Bagnères-de-Bigorre ou Luchon. Il était bon alors d'aller y prendre les eaux (qui « guérissaient tout ») ou tout au moins de s'y faire voir. Les vingt-quatre sources thermales que possède la station déversent un véritable « fleuve de soufre » bouillonnant comme l'eau dans un chaudron. Cette image du chaudron, « lou cautarès » en gascon, a d'ailleurs donné son nom à Cauterets. Les alentours de la station comptent d'innombrables cascades.

En face du hameau de la Raillère, qui s'est fait une spécialité de fabriquer et de vendre des berlingots, on peut admirer le panache écumant de la cascade de Lutour ; puis montant vers le Pont d'Espagne, à travers la forêt de sapins argentés, on cotoye la cascade du Cerisey où le

A gauche. Excursion romantique au Monné de Cauterets. (Aquarelle de Joyas ; coll. part.)

Quelques objets en bois fabriqués par des bergers. Ci-dessous : baratte en sapin. En bas : cuillères en buis. (Coll. P. Minvielle.)

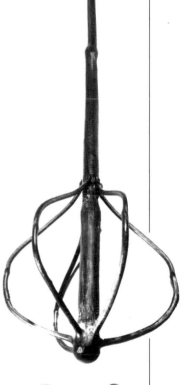

gave de Jéret se précipite avec fureur de part et d'autre d'un rocher. Enfin parvenu au Pont d'Espagne, on contemple le gave de Gaube se jetant dans celui de Jéret par un éventail d'écume qui glisse superbement sur des rochers arrondis.

Plus haut, c'est le domaine des lacs. Les lacs d'Arratille se cachent du côté du Marcadau, bien au-delà du plateau de Caillan, paradis du ski de fond. Tandis que du côté du Vignemale, un sentier pour piétons conduit sans difficulté au lac de Gaube dont on découvre la nappe

Dans les gaves aux flots clairs, les eaux sont riches en oxygène. Cela convient aux truites... et aux pêcheurs.

La nappe austère du lac de Gaube sert de miroir au Vignemale, dont les glaciers étincellent au fond du vallon des Oulettes.

sombre inscrite dans une cuvette d'éboulis et de rhododendrons. Au fond de ce décor grandiose, la face nord du Vignemale ferme l'horizon, barrée par le terrible couloir de Gaube dont les glaces semblent suspendues en équilibre. Devant cet inoubliable panorama, comment ne pas évoquer le comte Russell, l'une des figures dominantes de l'exploration des Pyrénées et qui tomba amoureux du Vignemale ? Cet homme hors du commun, dont l'âme poétique était à la mesure de ce paysage grandiose, fit aménager des grottes au sommet du pic afin d'y séjourner dans un confort de nabab.

Le lac de Gaube comme tous ceux de la région sont régulièrement alevinés à l'aide d'hélicoptères qui jettent dans les eaux des truites prélevées dans la pisciculture domaniale de Cauterets. En redescendant à la station, on pourra profiter de l'occasion pour visiter cet intéressant établissement.

De retour à Pierrefitte, on prend la direction de Gavarnie. Le sinistre défilé des gorges de Scia conduit à Luz-Saint-Sauveur qui est à la fois le carrefour vers la station thermale de Barèges (où il faut aller visiter les lacs de la Glère), un ancien poste des Templiers dont il subsiste un château fort et une église, et une station thermale (établie dans le quartier de Saint-Sauveur). Pour relier Saint-Sauveur à Luz, construits de part et d'autre du gave, les ingénieurs du Second Empire ont lancé le pont Napoléon du tablier duquel on surplombe la gorge d'une hauteur de 65 m.

Sur les pentes qui dominent Saint-Sauveur, la nouvelle station de ski de Luz-Ardiden s'efforce de rivaliser avec sa prestigieuse voisine, la station de Barèges, l'une des mieux équipées des Pyrénées en remontées mécaniques.

En amont de Luz, l'usine électrique de Pragnères, couplée avec celle de Luz II, dispose d'une capacité totale annuelle de 350 millions de kilowatts. Cette production représente un record à l'échelle des Pyrénées et reflète l'énormité des aménagements. Pragnères utilise en effet l'énergie des eaux de chute captées par un vaste complexe hydraulique regroupant les eaux du barrage de Cap-de-Long (situé en vallée d'Aure) et les eaux du bassin de Gavarnie récupérées par un collecteur, puis remontées au niveau de Cap-de-Long par un siphon dont les branches intéressent toute la hauteur des versants de la vallée.

Un peu plus haut, Gèdre continue de vivre à un rythme paisible, comme au temps où Ramond de Carbonnières, secrétaire du cardinal de Rohan, fuyant le scandale après l'« affaire du Collier », vint en 1787 s'établir dans ce village et entreprit d'explorer les voies d'accès vers le mystérieux mont Perdu.

Le nom de Ramond est indissociable de la conquête du mont Perdu. Avec ses 3 355 m d'altitude, cette montagne, située en territoire espagnol, est le point culminant du massif et pourtant reste très difficile à apercevoir parce qu'elle est environnée par un bastion de cimes escarpées. Après quinze ans de siège, Ramond finit par en atteindre la cime en 1802. Mais il n'était pas le premier. Il y avait été précédé quelques jours plus tôt... par ses propres guides. Le nom de Ramond s'attache aussi à une plante rare, la Ramondia des Pyrénées dont le biotope ombreux et humide se situe aux environs de 1 500 m d'altitude. On observera notamment cette fleur mauve à feuilles duveteuses dans le merveilleux amphithéâtre que forment les falaises du cirque de Troumouse, au sud-est de Gèdre. Ce site empreint d'une solennelle et mélancolique harmonie, étale des prairies accueillantes au pied même des falaises de la Munia. Accessible par une route à péage, Troumouse s'inscrit dans le territoire protégé du parc national des Pyrénées et compte parmi les plus beaux cirques de la chaîne.

Mais le cirque le plus prestigieux est, à coup sûr, celui de Gavarnie. Trois murailles superposées, soudées par des gradins couverts de glace et couronnées par des créneaux géométriques qui sont des montagnes, se courbent en hémicycle au-dessus du village de Gavarnie dont les maisons semblent écrasées par la proximité d'un tel décor. Le panache vaporeux, presque immatériel, d'une grande cascade, 423 m de chute, la plus

haute de France, attire tout de suite l'œil. Cette cascade sert de source au gave de Pau, mais la fonte des neiges en crée onze autres qui dégringolent avec fracas depuis le gradin inférieur dans l'« oule » sombre du cirque.

Ces eaux dont une partie s'infiltre dans les assises calcaires du cirque ont sans doute aidé, par une érosion souterraine, le travail du glacier quaternaire responsable de ce site prodigieux. Le pic d'Astazou, le Marboré, l'Épaule, la Tour, le Casque, la Brèche de Roland, le pic Bazil-

Écrivain, naturaliste, montagnard, Ramond de Carbonnières fut le premier des grands explorateurs des Pyrénées. Cette gouache d'un artiste anonyme le représente au sommet du pic du Midi de Bigorre, le 31 juillet 1800. Ce jour-là, Ramond pouvait apercevoir à l'horizon le Mont-Perdu dont il cherchait depuis treize ans à atteindre la cime. Deux ans plus tard, ses efforts devaient être couronnés de succès.

lac, la Fausse Brèche avec son Doigt et le Taillon découpent sur le ciel leurs silhouettes qui semblent tellement régulières qu'on a envie d'aller voir de plus près si elles n'ont pas été taillées par quelque géant.

Peut-être est-ce la raison pour laquelle le village de Gavarnie a engendré des dynasties de guides, les Passet, les Pujo, les Adagas, capables de conduire les cordées d'alpinistes, pardon de pyrénéistes, sur les parois qui forment ce décor.

Portrait du comte Henri Russell. Sur la fin d'une vie consacrée à l'exploration des Pyrénées, Russell loua le Vignemale à la commune de Cauterets. A plus de 3 000 m d'altitude, tout près du sommet de cette propriété peu ordinaire, cet homme hors du commun fit creuser des grottes et put y recevoir ses hôtes de marque avec un luxe de nabab.

Pour le simple touriste, les habitants proposent par centaines les montures, chevaux ou ânes, qui portent les touristes au fond du cirque, d'ailleurs accessible à pied, en trois quarts d'heure. Depuis une dizaine d'années, une route carrossable monte aussi au col de Boucharo (alt. 2 270 m). De ce col, à condition d'être bien chaussé et muni d'un piolet, on peut profiter d'une belle journée d'été pour gravir les pentes entrecoupées de glaciers qui mènent à la Brèche de Roland (refuge des Sarradets, Club alpin français, à mi-parcours). Du haut de ce portique colossal, on découvre le versant espagnol et ses vagues successives de sierras tandis que, plus près, le fossé de la vallée d'Ordesa exerce la tentation d'une randonnée dans ce parc national espagnol.

D'une façon générale, il est difficile de venir à Gavarnie sans profiter des nombreux chemins balisés (GR 10, chemins du P.N.P.O.) qui sillonnent ce massif. Entre la visite du cirque où se presse la foule (800 000 personnes par an) et les falaises réservées aux grimpeurs amateurs d'acrobaties, Gavarnie offre en effet tout une gamme de randonnées superbes. Le long de ces pentes fleuries d'edelweiss et de saxifrages, domaine des isards, au pied de splendides murailles, on goûtera le charme indiscible de la haute montagne tout en surplombant les précipices du cirque où Victor Hugo voyait un

> *Puits qui, lorsque le soir le noircit, pourrait être*
> *L'énorme coupe d'ombre où vient boire la nuit.*

Excursion à Gavarnie à la Belle Époque.

A droite. Le cirque de Gavarnie. (Aquarelle de Gustave Doré ; Musée pyrénéen, Pau.)

G. Doré

Excursion à la Brèche de Roland (2 807 m)

Durée : 5 heures, aller et retour.

Du village de Gavarnie, monter en voiture au col de Boucharo où on laissera la voiture. Ensuite, prendre le chemin tracé par le parc national qui monte d'abord au refuge des Sarradets (2 575 m) et le trajet se termine par la montée du glacier de la Brèche. Cet itinéraire permet d'observer l'écologie de la haute montagne, et notamment l'adaptation progressive des espèces aux hautes altitudes, une adaptation de plus en plus difficile à mesure que l'on s'élève.

Le chemin longe d'abord la base des pics Gabiétou et Taillon. Les terrasses qu'il traverse se trouvent à la limite entre la pelouse alpine — qui apparaît comme une mosaïque discontinue où domine la Sesleria bleue — et un gazon roux à Elyna spicata qui colonise les zones venteuses. L'Iris xyphoïde subsiste encore sur les pentes qui bordent le chemin.

Il faut s'éloigner un peu de ce chemin très fréquenté pour rencontrer des biotopes intacts. Des associations de plantes rupicoles-calcicoles ont annexé rochers et falaises. Le Saxifrage à longue feuille y fait figure de souverain avec ses fleurs en grappe. Cette plante est le type même de la rélicte arctico-alpine. Très répandue dans toute l'Europe lors des glaciations, elle a suivi le retrait des glaciers pour retrouver le biotope froid qui lui convenait. Cette plante existe dans tous les massifs montagneux d'Europe, mais aussi dans la zone arctique, comme en Islande ou au Spitsberg. Entre les rochers s'étalent les premiers coussinets de Silène acaulis. Cette plante à fleurs roses, haute d'un centimètre ou deux, est un arbre contracté. Ses touffes sont de véritables forêts miniatures. La souche de la plante se crispe dans les anfractuosités du roc d'où jaillit un tronc supportant une boule de feuilles et de fleurs. Le Silène acaulis fournit un bon exemple du nanisme qui frappe les plantes de la zone alpine ; ce nanisme est l'un des moyens adoptés par la végétation pour s'adapter aux dures conditions de l'altitude.

Vers la fin des terrasses, le sentier aborde une zone d'éboulis de calcaire ocre. Au milieu des blocs, les fleurs d'un jaune éclatant et les feuilles d'un beau vert du Doronicum tranchent sur le fond minéral. En quittant le sentier, on trouverait dans les ravins qui descendent vers Gavarnie, le biotope de la Ramondia des Pyrénées, cette plante rare dont les fleurs d'un mauve profond et les feuilles duveteuses ornent les rochers humides et ombreux.

Suivant la saison, les névés sont plus ou moins étendus. En général, les premiers d'entre eux coupent le chemin avant d'arriver au déversoir du Taillon. Leur frange humide et froide est le biotope de plusieurs invertébrés, des Campodéïdes, des Collemboles, des Isopodes et des Coléoptères. Cette communauté nivale est tout aussi spécialisée et adaptée à ce monde hostile que les plantes rélictes précédemment observées.

Le sentier grimpe maintenant le déversoir du Taillon. Il est rare d'y observer la

La brèche de Roland, versant français.

moindre plante. A part des planctons noirâtres, la végétation, désormais rare, se réfugie sur les falaises du pic des Sarradets, qui dominent le passage. Cette végétation regroupe un lot de plantes qui subsistent sur les plus hauts sommets : *Androsace ciliata,* Saxifrage iratiana, Renoncule des glaciers, *Artemis genepi* et Saxifrage à longue feuille. Cette phytocénose rupestre constitue un cas extrême, l'aboutissement de toutes les tentatives d'adaptation des végétaux à l'altitude, le stade ultime après les pelouses et les gazons et l'association calcicole-rupicole des terrasses.

La grappe fleurie du saxifrage à longues feuilles s'aggrippe sur les rochers calcaires.

Les plantes qui peuplent ces milieux extrêmes appartiennent à des espèces très spécialisées et très anciennes. Les rochers et les falaises qui les accueillent font figure d'îlots ou de refuges. Ces plantes, en effet, craignent la concurrence, toutes les concurrences. Si elles sont disposées en coussinets séparés les uns des autres, c'est pour diminuer la concurrence entre plantes voisines. Si elles choisissent de vivre dans ce milieu alpin, c'est encore pour éviter la concurrence, liée aux variations saisonnières du climat. Ici, le milieu toujours froid, longtemps enneigé, ne varie guère et cette stabilité est un caractère fondamental qui convient à ce peuplement végétal. D'une façon générale, quatre aspects caractérisent ces plantes du niveau alpin : elles ne peuvent vivre qu'isolées ; elles supportent un enneigement prolongé, un ensoleillement puissant et un vent violent ; elles se réfugient dans les fissures des rochers, et leurs fleurs ont des couleurs éclatantes.

Les minuscules fleurs roses du silène émaillent un coussinet de feuilles qui cache la racine unique incrustée dans le roc.

Ces plantes fournissent leur alimentation aux isards qui vivent dans les falaises voisines. Il convient de noter d'ailleurs que le passage des nombreux touristes sur le sentier semble gêner ces isards, qui se montrent moins fréquemment ici depuis trois ou quatre ans.

Après la traversée du col, parfois difficile en raison de l'enneigement, on parvient au refuge des Sarradets. Au-delà de ce refuge et quelle que soit la saison, la suite du trajet s'effectue sur le glacier de

Face aux pyramides du Gabiétou et du Taillon, les iris de juillet se pressent dans la pelouse des Espécières.

la Brèche de Roland. En fin d'été, le glacier est souvent noirci par des planctons qu'ont adsorbés les cristaux de glace ; sa traversée est alors délicate, car la glace, devenue très compacte, s'avère glissante.

Le Tichodrome échelette et le Chocard à bec jaune nichent le premier dans les rochers qui se trouvent sur la droite, le second dans les falaises qui dominent le glacier. Le Chocard à bec jaune trouve dans les anfractuosités qui percent la falaise, ces habitats naturels, à la fois abrités et dominants, qu'il affectionne parce qu'il peut y prendre son envol par une plongée dans l'air.

Dans les zones pierreuses qui émergent du glacier, on observera deux coléoptères qui se sont acclimatés à l'altitude : le Pyrénéorite et le Cechenus pyrenaeus. Ces deux espèces, qui sont adaptées à un climat froid, se retrouvent également dans les cavernes.

Parvenu devant l'extraordinaire portique de la Brèche de Roland, on constate la différence de climat entre le versant nord, souvent glacial, et le versant sud, espagnol, très ensoleillé.

Sur ces rochers frontaliers poussent des lichens. On y retrouve aussi des plantes orophiles : *Androsace ciliata*, Silène acaulis et Véronique nummulaire. Toutes ont eu recours au nanisme pour s'adapter à l'altitude, aux rigueurs du climat et au manque d'oxygène (on est ici à près de 3 000 m d'altitude). La configuration de ces plantes est, elle aussi, un bel exemple d'adaptation aux conditions rigoureuses de la haute montagne : l'appareil racinaire, puissant, est infiltré dans les fentes du roc et maintient solidement la plante en dépit des violences du vent, tandis que fleurs et feuilles forment une touffe en dôme qui assure la meilleure protection possible à chacun des éléments de la surface.

Jusqu'à ces hautes altitudes, on peut voir en été des papillons tel l'Apollo Vulcain qui y parvient peut-être poussé par le vent.

Revenir à Gavarnie par le même chemin.

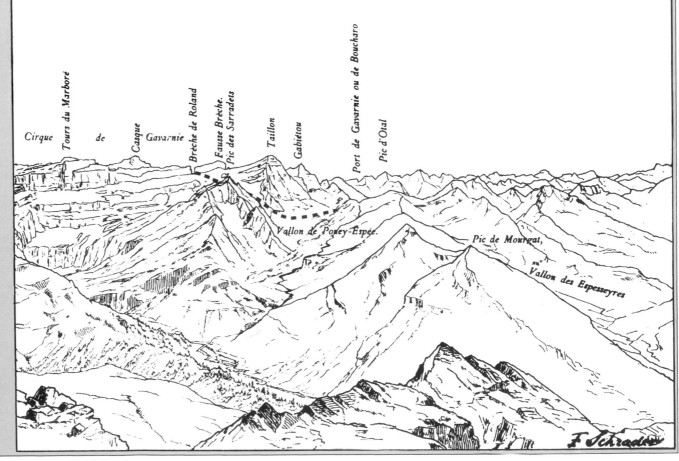

Du col de Boucharo à la brèche de Roland, la montée offre de belles perspectives sur le Cirque de Gavarnie, ainsi qu'on peut le voir sur ce détail du célèbre « Tour d'horizon » dressé par F. Schrader depuis le sommet du Piméné.

Itinéraire n° 5
Au pied du pic de Néouvielle et de ses contreforts :
vallée de Campan et vallée d'Aure

La neige s'accroche sur les derniers toits de chaume de la vallée de Campan. Le fronton des granges est construit en escalier. Ces degrés, les « penaus », permettent de monter sur le toit pour entretenir le chaume.

Présentation du secteur

A peu de distance au nord de la crête faîtière des Pyrénées et de la frontière franco-espagnole, le massif de Néouvielle dresse sa puissante borne granitique toute hérissée de sommets : pic de Néouvielle (3 091 m), Turon de Néouvielle (3 035 m), pic des Trois-Conseillers (3 039 m)... Exposé vers l'ouest aux influences des vents porteurs de pluie et de neige, le massif leur oppose une barrière si efficace que son versant nord reçoit de fortes précipitations tandis que ses versants sud et est bénéficient au contraire d'un climat plus clément.

Comme les autres grands massifs pyrénéens, celui du Néouvielle a été façonné par les glaciers quaternaires dont le glacier du Néouvielle n'est que le résidu actuel. Au cours de leur recul, les glaciers quaternaires ont abandonné sur ces surfaces granitiques une infinité de cuvettes que les eaux ont aussitôt transformées en autant de lacs. Trois groupes de lacs émaillent ce massif de leurs gradins miroitants : les lacs de la Glère et d'Escoubous, au nord-ouest, les lacs du Néouvielle, au sud, et ceux de Caderolles, à l'est. Depuis quelques décades, l'homme a même accentué, par la construction de retenues artificielles, l'aspect lacustre qui caractérise le massif. Aussi les lacs de la Glère, de l'Oule, celui d'Orédon, ceux d'Aumar et d'Aubert ont vu leur niveau surélevé par des barrages. Enfin le lac de Cap-de-Long situé en tête de réseau de la neste de Couplan parachève par sa retenue (66 millions de mètres cubes) la capacité totale du massif.

Deux rivières importantes, l'Adour et la Neste d'Aure prennent leur source dans ce château d'eau et empruntent les thalwegs creusés par deux langues des grands glaciers d'antan. Ce sont les vallées de Campan et d'Aure. Le tracé de ces deux vallées adopte une forme en virgule qui isole deux sommets — le pic du Midi de Bigorre, au nord, et le pic d'Arbizon, à l'est —, les transformant pour ainsi dire en avant-postes du Néouvielle.

A cette disposition similaire des thalwegs correspond un étagement comparable de la végétation : un fond de vallée bocager, une large bande forestière aux très belles futaies de hêtre et de sapin pectiné, une frange de pin à crochet, puis des estives qui s'achèvent rapidement sur la zone du roc et de la neige.

La luminosité tout à fait exceptionnelle dont bénéficie le versant sud-est du Néouvielle trouve sa traduction dans la couverture végétale. Le pin à crochet, par exemple, qui dépasse rarement l'altitude de 2 000 m atteint ici 2 700 m. La similitude physique des deux vallées a entraîné des vocations économiques comparables, voire antagonistes quand une mitoyenneté provoquait la rencontre des intérêts. Exceptons de cette similitude les deux villes marchés, Bagnères-de-Bigorre et Lannemezan, établies au contact des influences des deux vallées et de la plaine, puisque Bagnères bénéficie en plus d'une source thermale. Pour le reste, on peut établir une véritable symétrie entre les économies des deux vallées puisque l'extraction des marbres se retrouve à Campan et à Sarrancolin, l'exploitation du bois intéresse Sainte-Marie-de-Campan comme Arreau et la mise en valeur des champs de neige met en concurrence La Mongie et Saint-Lary-Soulan. A la limite, on pourrait presque établir un parallèle sur le plan scientifique avec l'établissement de l'Observatoire d'astrophysique au sommet du pic

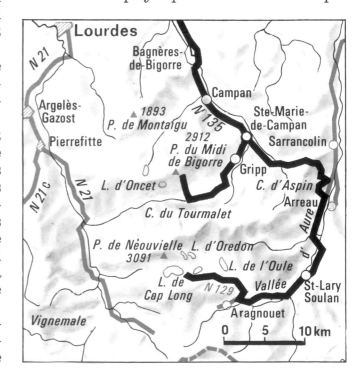

Itinéraire de Bagnères-de-Bigorre à Lannemezan par le pic du Midi de Bigorre et la réserve du Néouvielle.

du Midi de Bigorre et la création de la Réserve du Néouvielle gérée par l'université Paul-Sabatier de Toulouse. Dans ces deux sites, en effet, la limpidité de l'atmosphère propre à ce massif a été mise à profit pour des sciences très diverses ; au pic du Midi de Bigorre pour observer les astres et les phénomènes célestes ; dans la réserve du Néouvielle pour étudier l'écologie d'un milieu montagnard de pinèdes et de tourbières exceptionnel par son altitude, la richesse de sa faune et la curiosité de ses associations végétales et tâcher de le protéger.

Moyens d'information

Cartes
Michelin n° 85.
I.G.N. 1/100 000, n° 70.
I.G.N. 1/50 000, feuilles : Campan, Vieille-Aure, Arreau.

Bibliographie
Pyrénées centrales, vol. II, « Bigorre-Arbizon-Néouvielle-Troumouse », X. Defos du Rau, R. Ollivier, J. et P. Ravier, 1968, R. Ollivier, Pau ; vol. III, « Vallées d'Aure et de Luchon », A. Armengaud, F. Cormet, R. Ollivier, J. et P. Ravier, 1969, R. Ollivier, Pau.

Randonnées et Ascensions choisies dans le parc national des Pyrénées occidentales et ses environs, R. Ollivier, 1980, Librairie parisienne, Pau.

Haute Randonnée pyrénéenne, G. Véron, 1974, C.A.F., Paris.

GR 10, Hautes-Pyrénées et Haute-Garonne, 1975, C.N.S.G.R., Paris.

Guide du naturaliste dans les Pyrénées occidentales, C. Dendaletche ; vol. II, « Hautes Montagnes », Delachaux et Niestlé, 1974, Neuchâtel-Paris.

« Un site d'une exceptionnelle beauté : la réserve du Néouvielle », P. Chouard, 1971, *Revue forestière française,* XXIII, ministère de l'Agriculture, Paris.

Pyrénées, les cent plus belles courses et randonnées, P. de Bellefon, 1978, Denoël, Paris.

Pyrénées des quarante vallées, P. Minvielle, 1980, Denoël, Paris.

Musées ou établissements à visiter
Observatoire du pic du Midi de Bigorre.

De Bagnères-de-Bigorre à Lannemezan, par le pic du Midi de Bigorre et la réserve du Néouvielle

Durée : 2 jours (180 km).

Trente-huit sources thermales produisant chaque jour trois millions de litres d'une eau à une température comprise entre 51° et 13 °C fondent la richesse de Bagnères-de-Bigorre, « la station du calcium et du soufre ». Actuellement ce centre de séjour et de cure reçoit environ 5 000 touristes et 4 000 baigneurs. On est loin des 30 000 à 40 000 touristes qu'accueillait Bagnères au temps de sa splendeur. Au milieu du siècle dernier, le tohu-bohu mondain dans lequel la station tourbillonnait alors durant « la saison » voyait le philosophe Azaïs raisonner devant des dames en crinolines et la municipalité offrir une aubade au compositeur Rossini. Maintenant, il ne reste guère que les « buchettes » au chocolat dont Bagnères s'était fait la spécialité — et dont on continue la fabrication — pour rappeler les fastes d'antan.

Bagnères-de-Bigorre, la tour de l'Horloge. (Lithographie de Jacottet, 1842.)

Abandonnant cette sous-préfecture a ses activités désormais sans tumulte, on remontera la vallée de Campan, auge glaciaire où coule l'Adour, en direction du pic du Midi de Bigorre dont le sommet trop proche est masqué par des contreforts.

Presque à la sortie de Bagnères, dans la grotte de Médous, on pourra visiter les assises mêmes du pic en circulant le long de galeries ornées de stalactites et en glissant au fil d'une silencieuse rivière souterraine que forme un bras de l'Adour. Le principal village de la vallée est Campan. De vieilles maisons, une halle en bois et une fontaine de marbre s'y groupent autour de l'église dont le clocher flanqué de quatre clochetons et défendu par des échauguettes attire l'œil par son aspect guerrier. Dans les jardins de l'église pourtant se dresse un émouvant monument aux morts représentant une veuve sans visage drapée de la lourde cape de deuil de la vallée.

Campan a aussi une autre source de fierté. Dans son hameau de Séoulat naquit un futur grenadier de la Garde impériale, bon géant qui monta la garde sur le radeau flottant sur le Niémen lorsque Napoléon et le tsar Alexandre Ier négocièrent la paix de Tilsitt. Pour avoir pris un canon afin de présenter les armes à l'empereur, ce facétieux mais vigoureux grenadier vit son nom passer à la postérité. Il s'appelait Mariole.

Le bocage qui occupe tout le fond de la vallée a peu changé d'aspect depuis l'époque où vivait l'illustre grognard. Un quadrillage de murettes en pierre semble semé de maisons encore coiffées de chaume. Même lorsque l'ardoise a remplacé le glui, on voit toujours sur l'arête du mur pignon les gradins qui servaient à entretenir le chaume.

Des carrières de marbre gris bordent la vallée entre Campan et Sainte-Marie-de-Campan. Elles ont largement contribué à la réputation de la vallée car l'ornementation de maints monuments français est faite en « marbre de Campan ». Après le village de Gripp, la route attaque vraiment les pentes du pic du Midi

L'hiver s'achève en vallée de Campan. Les brebis sont de retour dans les prairies de la vallée où elles broutent en attendant de monter sur l'estive. On a commencé leur tonte en ménageant la laine des bêtes malades.

de Bigorre. On traverse la hêtraie-sapinière de Gripp, qui dissimule sous de belles frondaisons la cascade du Garet, dont les eaux arrivent des lacs de Caderolles.

Au sortir de la ceinture forestière, on débouche sur l'estive occupée en partie par les hôtels et les remontées mécaniques de la florissante station de ski de La Mongie.

Il faut atteindre le col du Tourmalet qui sépare la vallée de Gripp de celle de Barèges pour trouver l'amorce de la route à péage qui conduit par le lac d'Oncet et le col de Sencours à l'observatoire du pic du Midi. De loin, les coupoles porteuses des télescopes, à côté d'un pylône haut de 85 m servant de relais de télévision, couronnent la cime même du Bigorre de leur décor de science-fiction. La visite des installations est organisée. Elle permet de voir le laboratoire dépendant de l'Institut de physique du globe où l'on mesure le rayonnement cosmique, ainsi que les télescopes astronomiques braqués sur les étoiles. A cause de sa position avancée par rapport au reste des Pyrénées, cette montagne scientifique est aussi un incomparable belvédère. Le panorama que l'on embrasse va des montagnes de l'Ariège aux cimes basques en passant par les monts Maudits, le Posets, le mont Perdu et le pic du Midi d'Ossau. Par temps clair, on distingue même le feu du phare de Biarritz, à 110 km.

Revenu au Tourmalet, on ira de ce col au col d'Aspin. Le trajet que l'on emprunte sur ce tronçon d'itinéraire est le même que parcourent chaque été les coureurs du Tour de France cycliste. Devant les immenses foules qui s'agglutinent ce jour-là en bordure de la route, on a peine à imaginer le calme qui règne d'ordinaire dans ces montagnes.

Une partie de la montée vers le col d'Aspin s'effectue à travers l'important massif forestier de Beyrède et de ses annexes. On y longe la carrière d'Espiadet d'où proviennent les marbres qui ornent l'Opéra de Paris. Bien qu'elle empiète sur le versant oriental de la vallée

Image de science-fiction et réalité pyrénéenne, le sommet du pic du Midi de Bigorre. Couronnant cette montagne scientifique, les coupoles de l'observatoire astronomique et du laboratoire d'étude sur les rayons cosmiques brillent au soleil.

de Campan, la forêt de Beyrède et ses splendides futaies de sapin pectiné appartiennent à la vallée d'Aure. Cette attribution ne s'est pas faite sans mal. Au XVIIᵉ siècle, un conflit connu sous le nom de « Guerre des Quatre Véziaux » opposa les vallées de Campan et d'Aure pour la possession de cette forêt. Les « Quatre Véziaux », c'est-à-dire les « Quatre Voisins », étaient les paroisses de Cadéac, Ancizan, Guchen et Grézian, en vallée d'Aure. Les affrontements entre les habitants des deux vallées durèrent des années. Pour en finir les jurats de Campan et d'Aure décidèrent de trancher le différend par un combat singulier entre les champions de l'une et de l'autre vallée. Sur le thème de David et Goliath, le géant qui représentait Campan fut battu par la ruse du petit champion d'Aure et la propriété de la sapinière en litige fut reconnue à la vallée d'Aure.

Au col d'Aspin, il est préférable de choisir la route forestière plutôt que la grand-route si l'on est amateur de paysages montagnards. On serpentera ainsi

sur les pentes de la Hourquette d'Arreau, qui grimpent vers l'Arbizon en alternant des spectacles forestiers et des perspectives de pâturages. On rejoint le fond de la vallée d'Aure à Guchen.

En amont de Guchen, à Saint-Lary-Soulan, il faut prendre une route passant par Soulan, Espiaube et s'achevant en cul-de-sac à Piau-Engaly si l'on veut visiter la station de ski de Saint-Lary. Fière de ses 32 pistes, de ses remontées mécaniques capables de débiter jusqu'à 10 000 skieurs à l'heure, Saint-Lary

En vallée d'Aure, comme dans les autres vallées des Pyrénées, on a encore recours à la paire de bœufs pour tirer la charrette.

Sous la lumière exceptionnelle de la région du Néouvielle, le lac d'Orédon brille comme un joyau dans son écrin de sapins.

Page de gauche. Entre l'or des fougères et le vert des prés, le village d'Aspin, en vallée d'Aure, groupe ses maisons aux murs et aux toits gris.

s'inscrit parmi les grands centres de neige des Pyrénées et compte même parmi les plus dynamiques.

En amont de Fabian, il faut remonter la vallée de la Neste de Couplan en direction du barrage de Cap-de-Long. Après quelques lacets, la route longe le lac d'Orédon, l'un des plus beaux des Pyrénées. Serti dans son écrin de roc et de pins, il étale une nappe émeraude de 43 ha d'un éclat particulier. La profondeur de ses eaux (48 m) n'explique pas entièrement cette couleur ; il semble que la verdeur des frondaisons avoisinantes, transmise par l'exceptionnelle luminosité qui baigne le site, ne soit pas étrangère à cette teinte de joyau que reflète ce lac.

Au-dessus d'Orédon, on ne tarde pas à se heurter à la muraille de béton du barrage de Cap-de-Long. La retenue artificielle de Cap-de-Long sert de réservoir au plus grand complexe hydro-électrique des Pyrénées. Les eaux du massif du Néouvielle et du massif du Bastan se déversent directement dans son bassin d'une capacité de 66 millions de mètres cubes. Par ailleurs 30 millions de mètres cubes collectés sur le versant gauche du gave de Pau (dans le secteur de Gavarnie) peuvent être refoulés dans le réservoir de Cap-de-Long grâce à un siphon et à une station de pompage. Les eaux sont ensuite précipitées en conduite forcée sur l'usine de Pragnères avec une chute de 1 254 m.

A Cap-de-Long, la route s'achève en cul-de-sac. En redescendant, il suffit de suivre la courte route (à gauche) qui passe sur le petit barrage fermant le lac d'Orédon (refuge du Touring Club de France) pour gagner la limite de la réserve du Néouvielle.

Le territoire de celle-ci est surveillé par des gardes prêtés par l'établissement public du parc national des Pyrénées occidentales. Une route monte en lacet les pentes des Passades d'Aumar jusqu'aux lacs d'Aumar et d'Aubert. Elle se prolonge ensuite à travers la montagne de Vieille-Aure et se termine en cul-de-sac. L'existence de cette route est discutable puisqu'elle traverse le territoire de la réserve. Son utilisation par le public est

d'ailleurs interdite. C'est donc à pied que l'on visitera la réserve du Néouvielle.

La réserve du Néouvielle est ce que l'on appelle une « réserve à but défini », fondée pour préserver la géologie, la botanique et la zoologie du territoire qu'elle recouvre. Elle a été créée en 1935 par des chercheurs des universités de Toulouse et de Paris afin de poursuivre une étude écologique et botanique de ce secteur. Mais la réserve vise aussi à sauvegarder une forêt de pins à crochet dont le peuplement remonte à 700 ou 800 ans et que menaçaient les pratiques pastorales comme l'écobuage et la fabrication des ustensiles en bois.

Outre ce précieux ensemble forestier, la réserve englobe soixante-dix lacs et de nombreuses tourbières, ce qui représente une concentration lacustre de premier ordre, à l'échelle européenne.

Grâce à sa position abritée des vents d'ouest, la réserve jouit d'une luminosité exceptionnelle. Le microclimat qui en résulte modifie les données botaniques habituelles : les arbres (pin à crochet) peuvent y monter jusqu'à 2 700 m d'altitude. Vingt espèces d'arbres et d'arbustes y dépassent 2 500 m (saule, bouleau, tremble, prunier à grappe, chèvrefeuille, sorbier...).

Par ailleurs, on a dénombré 500 espèces de plantes supérieures (végétaux bénéficiant d'un développement complexe et notamment à partir d'une graine) dans le territoire de la réserve, qui abrite et protège aussi l'isard, le renard, la belette, l'hermine des neiges, la genette, l'aigle royal, le vautour fauve, le lagopède, le grand tétras. Ses lacs et tourbières ainsi que ses torrents possèdent aussi leurs biocénoses particulières. On y trouve de nombreux batraciens (lézards, grenouille rousse, euprocte des Pyrénées, triton palmé...) répartis sur 22 des quelque 40 tourbières pyrénéennes.

Parmi les espèces protégées, deux retiennent spécialement l'attention par leurs particularités : le Lagopède et l'Euprocte.

Le Lagopède des Pyrénées est un oiseau qui passe sa vie entre 2 500 et 3 000 m d'altitude. L'été, son biotope est

cantonné sur les pentes du Néouvielle ; l'hiver, les grosses chutes de neige l'incitent à descendre plus bas. Il cherche sa nourriture dans les alpages ou sur les landines, dont les baies lui fournissent son alimentation.

Quant à l'Euprocte des Pyrénées ou Triton des Pyrénées, c'est un batracien endémique, spécifique de la chaîne des Pyrénées. Il vit dans les cours d'eau et les lacs où l'eau a une température voisine de 15 °C. De couleur variable suivant les individus (dos gris, brun ou vert olive), il

Scène de la vie sauvage dans la forêt pyrénéenne : une genette vient de capturer un mulot.

mesure de 11 à 13 cm. Il vit caché et reste longtemps immobile, se dissimulant le jour sous les pierres des torrents. Son activité s'accroît la nuit venue. L'animal nage et marche à la recherche des proies dont il se nourrit, mollusques et crustacés aquatiques, ainsi que des insectes tombés dans l'eau ; on admet aussi qu'il se nourrit de ses propres œufs. L'accouplement se déroule au printemps, le mâle attendant qu'une femelle passe à sa portée ; la ponte a lieu en juillet.

De la réserve du Néouvielle à Lannemezan, le trajet s'effectue en redescendant la vallée d'Aure. Comme d'autres grandes vallées pyrénéennes, la vallée d'Aure a servi de voie de passage d'un versant à l'autre de la chaîne. Grâce à leur position abritée, les cols de cette vallée (port de Bielsa, d'Ourdisétou, et surtout le port de Rioumajou) étaient plus déneigés qu'ailleurs. L'auteur de *Robinson Crusoé*, Daniel Defoe, emprunta le col de Rioumajou en 1670 pour cette raison. Cette vocation au passage transpyrénéen

L'hôpital Saint-Jean-de-la-Combe, à Aragnouet. Remarquez le clocher séparé de la chapelle.

Page suivante. La fleur cotonneuse de la linaigrette (Euriophorum Scheuzeri) signale de loin le sol spongieux des tourbières si nombreuses dans la réserve du Néouvielle.

a été concrétisée depuis quelques années par le percement d'un tunnel reliant la vallée d'Aragnouet à la vallée espagnole de Bielsa.

A Aragnouet précisément, l'hôpital Saint-Jean-de-la-Combe servait d'étape pour les voyageurs désireux de franchir les Pyrénées. On peut encore voir la chapelle dont le clocher pignon est curieusement séparé du reste de l'édifice par un espace et forme un angle de 80 degrés avec la nef.

La descente de la vallée conduit à retraverser Saint-Lary et Guchen avant d'atteindre Arreau-Cadéac. Cadéac avec sa tour féodale et sa poterne, ainsi qu'Arreau avec sa chapelle romane de Saint-Exupère nous replongent au temps où Jean V d'Armagnac filait ici le parfait amour avec sa sœur Isabelle, « la dame des Quatre vallées ».

Plus bas, Sarrancolin où l'on pénètre par une porte en ogive renferme la « maison aux lys », vieille demeure tapissée de fleurs de lis en bois découpé, hommage de son propriétaire à Louis XI qui venait d'annexer à la couronne de France le fief d'Isabelle, histoire de rétablir la morale.

Sarrancolin est aussi l'une des capitales du marbre pyrénéen. Les calcaires crétacés qui structurent le front nord de la chaîne sont ici teintés par des infiltrations qui leur donnent des coloris particulièrement vifs.

Dans ces carrières aux murailles imposantes, on peut comparer le « sarrancolin », rouge veiné de gris et de jaune — qui a servi à la décoration du Grand Trianon de Versailles —, et le « beyrède », veiné de rouge et de vert vif.

La route qui conduit à Lannemezan quitte le cours de la Neste d'Aure à la Barthe-de-Neste, car la rivière forme un coude vers l'est. En réalité, ce tracé coudé de la Neste indique la capture dont cette rivière a été la victime au quaternaire. Curieusement, le tracé de la route suit, quant à lui, l'ancien trajet de la Neste jusqu'au plateau de Lannemezan où s'achève cet itinéraire.

Promenade écologique dans la réserve du Néouvielle

Durée : à la volonté du promeneur.

Une route monte en lacet les pentes des Passades d'Aumar jusqu'aux lacs d'Aumar et d'Aubert. à travers la forêt de pins à crochets.

Au-delà des deux nappes lacustres, elle se prolonge à travers la montagne de Vieille-Aure et se termine en cul-de-sac, sans raison.

Cette route est un véritable non-sens écologique. Sa construction est en contradiction avec les impératifs de la protection des milieux fragiles, qui est le but de la réserve du Néouvielle, sur le territoire de laquelle la route est tracée !

En dépit de son grand intérêt, la réserve du Néouvielle est aujourd'hui malade. Le tracé de la route, qui entaille le tapis végétal et déverse de nombreux déblais, provoque l'étouffement des arbres et un ruissellement destructeur, à la fonte des neiges. 120 000 visiteurs en 1974 et 280 000 en 1976 ont circulé dans ce territoire. Une telle pression démographique est intolérable dans une zone protégée. Actuellement le ramassage des ordures exige vingt journées de garde par an !

Une action nationale a été engagée pour sauver la réserve naturelle du Néouvielle. Une pétition demandant l'interdiction de la circulation routière dans la réserve a recueilli le soutien de plusieurs dizaines de milliers de signatures.

Les pins à crochets géants poussent sur les rives du lac d'Aumar au cœur de la réserve du Néouvielle.

La route qui monte vers les lacs d'Aumar et d'Aubert présente l'inconvénient d'attirer des masses énormes de visiteurs et de perturber les équilibres écologiques de la réserve naturelle.

Itinéraire n° 6
Autour de Luchon

Présentation du secteur

Un coup d'œil jeté sur une carte suffit pour mesurer l'anomalie géographique qui frappe la région de Luchon : la frontière politique n'y passe ni par les sommets les plus élevés ni même par une ligne de crête cohérente. Les principales cimes, c'est-à-dire le groupe des monts Maudits ou de la Maladeta, y compris le point culminant des Pyrénées, le pic d'Aneto (3 404 m), se dressent en territoire espagnol, tandis que la frontière court du pic des Gourgs Blancs au sommet de l'Escalette en passant par le pic Perdiguère, le pic des Crabioules et le pic de Sauvegarde, autrement dit sur la première crête visible depuis les environs de Luchon. Vers l'est, le tracé frontalier se montre encore plus fantaisiste. Il méprise à un tel point les indications les plus évidentes du relief que l'Espagne se voit attribuer le bassin des sources de la Garonne mais aussi la partie supérieure de sa vallée que l'on nomme le val d'Aran.

Tenant compte de ces dispositions politiques, disons que le secteur montagneux de Luchon se présente sous des apparences trompeuses. Le paysage visible en dissimule un autre, plus haut, plus stérile, véritable donjon des glaces et du roc, que son apparence désolée autant que son éloignement a fait baptiser les monts Maudits. Mais pour découvrir les calottes de glace et les horizons désertiques de ce massif de la Maladeta, il faut atteindre les premières crêtes, Gourgs Blancs (3 129 m), Perdiguère (3 222 m), Crabioules (3 116 m), Sauvegarde (2 738m), qui forment un écran rocheux déjà festonné de nombreux glaciers.

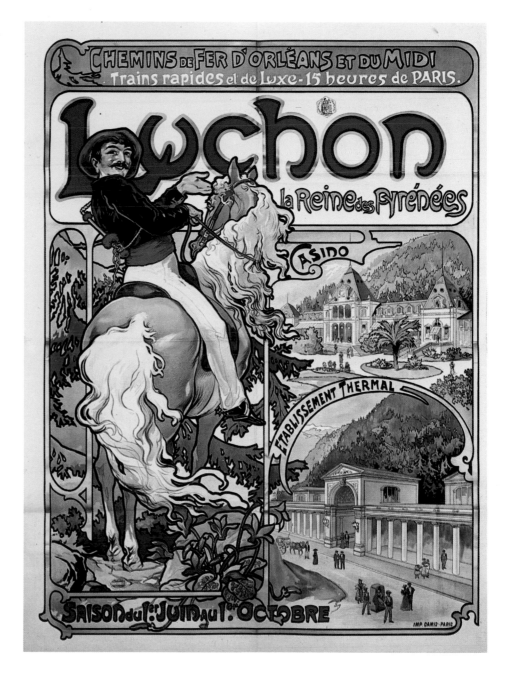

Les eaux qui descendent du versant nord de ces crêtes alimentent la Pique et ses affluents, le torrent du Lys et la Neste d'Oô, dont les vallées, toutes d'origine glaciaire, composent un ensemble homogène autour de Luchon. A tel point qu'il faut l'aide d'une carte pour deviner qu'il existe derrière ce décor une vallée plus enveloppante, celle de la Garonne, et des montagnes encore plus élevées.

Une telle disposition du relief favorise le contact entre les influences climatiques méditerranéennes et atlantiques, voire leur confusion dans un système continento-montagnard conditionné à la fois par l'éloignement de tout littoral et par l'altitude. Les précipitations, relativement rares, y tombent autant sous forme de neige et de grésil que sous forme de pluie.

Quand on observe la couverture végétale de ce secteur, on remarque que des espèces, les unes méditerranéennes, les autres atlantiques voisinent avec des saxifrages et autres plantes spécifiques du domaine montagnard. Profitant de ces convergences climatiques, le Service des eaux et forêts a créé des forêts expérimentales à Jouéou et au Lau-d'Esbats, dans la vallée de la Pique. Hormis ces particularités, l'étagement de la végétation présente la succession habituelle d'un bocage, d'une ceinture forestière épaisse où les sapins dominent parfois sur les hêtres suivant l'exposition des versants, d'une zone de pâturages, moins étendue et déjà plus aride que dans les vallées occidentales, et pour finir un très vaste étage montagnard où, répétons-le, les glaciers ne sont pas rares.

L'activité humaine dans la vallée de la Pique découle des caractères de cet étagement. Agricole dans le fond des vallées, la tradition économique est ici plus sylvicole que pastorale, tandis que l'exploitation du marbre en basse vallée, à Saint-Béat notamment, d'où provient la colonne Trajane à Rome, amorce depuis longtemps une activité davantage tournée vers l'industrie.

Des falaises, les tours ruinées de Saint-Béat, le pittoresque des maisons et des costumes, tout l'exotisme pyrénéen à usage romantique se trouve réuni dans cette lithographie représentant la région de Luchon.

Page précédente. Luchon. (Affiche par Tamagro, 1900; coll. part.)

Quant aux échanges transpyrénéens, les dispositions du relief et du tracé frontalier les orientent plutôt vers la vallée de la Garonne. De tout temps, les villages du val d'Aran ont été des étapes pour les voyageurs. En revanche, les débouchés supérieurs de la vallée de la Pique — le pas de Montjoie et le port de Vénasque —, incommodes et débouchant sur des déserts, ne favorisent guère le commerce. La vallée a longtemps vécu repliée sur elle-même, abritant dans ses vallons affluents des traces du passé.

Toutefois, le secteur possède, à Bagnères-de-Luchon, un foyer où se concentre l'activité humaine. Capitale du thermalisme pyrénéen, l'antique cité de Lug, dieu romain des fontaines, première station des Pyrénées desservie par une route carrossable aux diligences (en 1787), pôle du tourisme romantique, puis centre d'excursion, Luchon regroupe autour des Allées d'Étigny et de l'établissement thermal une vraie petite ville isolée au cœur même des montagnes. Que l'on vienne y suivre une cure en profitant de ses soixante-dix-huit sources thermales livrant des eaux riches en soufre et en sels minéraux variés, certaines bénéficiant même d'une radioactivité efficace ; que l'on entende pratiquer le ski à Superbagnères ; que l'on souhaite gravir les principaux sommets des Pyrénées ou simplement se promener dans un paysage de montagne, Luchon constitue un centre de séjour idéal. Comme cette station se situe au cœur d'une zone d'intérêt touristique, Bagnères-de-Luchon est le point de départ de multiples excursions ayant tantôt un but archéologique, tantôt un intérêt plutôt botanique, ou tout simplement l'attrait du tourisme. Si bien que l'on ne part pas de Luchon pour effectuer un circuit. On rayonne à partir de Luchon.

Moyens d'information

Cartes
Michelin, n° 86.
I.G.N. 1/100 000, n° 70.
I.G.N. 1/50 000, Bagnères-de-Luchon.
Jolis 1/25 000, Masizo de la Maladeta.

Bibliographie

Pyrénées centrales, vol. III, « Vallées d'Aure et de Luchon », A. Armengaud, F. Cormet, R. Ollivier, J. et P. Ravier, 1969, R. Ollivier, Pau.

Haute Randonnée pyrénéenne, G. Véron, 1974, C.A.F., Paris.

GR 10, Hautes-Pyrénées et Haute-Garonne, 1975, C.N.S.G.R., Paris.

Guide des vallées de Luchon et du Louron, J. Bleton, éditions Cépadues, 1979, Toulouse.

Sentiers de la haute vallée de la Garonne française, B. Couret, 1979, Saint-Béat.

L'Aneto et ses hommes, J. Escudier, Marrimpouey jeune, 1977, Pau.

Pyrénées des quarante vallées, P. Minvielle, Denoël, 1980, Paris.

Accompagnateur en montagne
Barthélémy Couret, La Tignerie, 31440 Saint-Béat, tél. (61) 79.42.26.

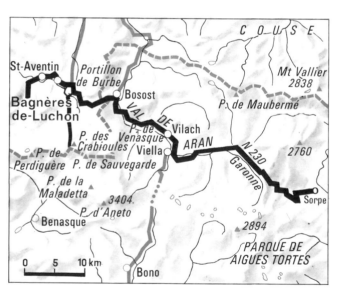

Itinéraire autour de Luchon.

Les pâturages de Superbagnères.

En étoile autour de Luchon

D'un point de vue thermal, Bagnères-de-Luchon est une station exceptionnelle. Elle bénéficie de 78 sources, dont 17 importantes. La composition des eaux offre toute la gamme des eaux sulfureuses que l'on rencontre dans les Pyrénées. Une première catégorie, d'origine profonde, est captée par des galeries et leur température peut atteindre 66 °C; une seconde catégorie est d'origine superficielle. Parmi celles-ci, les eaux de la source Lepage montrent la radioactivité la plus élevée de France (50,2 microcuries par litre).

On comprend que ces propriétés variées aient assuré la notoriété de la station. Déjà les Romains y vénéraient un dieu fontainier, Lug, éponyme de Luchon. Néanmoins Luchon a vu sa vocation thermale s'affirmer au XVIIIe siècle quand l'intendant d'Étigny décida de l'aménager. L'accès à la station fut alors facilité par la construction d'une route pour les diligences. Aussi, dès le début du XIXe siècle, Bagnères-de-Luchon commença d'apparaître comme la capitale du tourisme pyrénéen. Vers 1830, tout ce que le romantisme connaissait de gloires littéraires, artistiques et mondaines eut à cœur de séjourner ou au moins de se faire voir dans cette station à la mode. C'est à cette époque que les habitants de Luchon prirent l'habitude d'organiser des promenades guidées conduisant les touristes au lac d'Oô, dans la vallée du Lys ou au port de Vénasque. L'accès à ces sites fut soigneusement aménagé et favorisa leur renommée que la diffusion en librairie de nombreuses lithographies vint encore amplifier.

Aujourd'hui, si les fastes d'antan se sont atténués, la vie à Luchon conserve tout de même les habitudes prises à cette époque. La tradition touristique y est fortement ancrée et, la proximité de sites montagneux aidant, Luchon reste un centre d'excursion privilégié.

Visite du Larboust
et excursion au lac d'Oô

Durée : 1 jour (24 km en auto + 3 heures de marche, aller et retour).

L'excursion au lac d'Oô permet de combiner la visite en voiture des églises, chapelles et monuments religieux du Larboust avec une petite randonnée pédestre en montagne.

La première partie du trajet consiste à remonter le Larboust, cette vallée que parcourt l'One, un torrent qui se jette dans la Pique, à Luchon. Le Larboust est longtemps resté isolé. Aussi les églises et les chapelles qui y subsistent semblent-elles jalonner une histoire de l'art tracée sur le mode naïf. A Cazaril-Laspènes, Trébons, Benque-Dessus et Benque-Dessous, Saint-Aventin, Cazeaux-de-Larboust et Cathervielle, on trouvera de charmantes églises romanes. Et les trésors d'art naïf qu'elles renferment sont savoureux. Ainsi l'église Sainte-Anne, de Cazaril, s'orne de fresques remontant au XVe siècle, pleines de diables rouges et de saints angéliques dont on appréciera la couleur et l'esprit. A Trébons, l'église s'ouvre par un porche roman d'une touchante simplicité, tandis que la nef de Benque-Dessus s'orne de fresques romanes tracées avec plus de foi que de technique. La grille qui défend le chœur à Saint-Aventin, en revanche, est un chef-d'œuvre de ferronnerie. Et si, là encore, des fresques qui animent la voûte sont romanes, les vierges sculptées sur les chapiteaux ressemblent plutôt à des matrones romaines. D'ailleurs à Saint-Aventin, l'empreinte romaine se matérialise puisqu'un autel gallo-romain a été utilisé pour compléter l'appareillage du mur. Ce curieux emprunt paraît pourtant peu de chose comparé aux multiples stèles romaines réutilisées par les constructeurs de Saint-Pé-la-Moraine. Avec ses symboles solaires et ses figures typiquement romaines, cette chapelle qui se dresse sur un tertre parmi des blocs erratiques, à l'écart du petit village de Garin a un étrange aspect de temple païen. Mais justement cette remontée vers les sources païennes de la religion

en Larboust serait incomplète sans une visite au « Caillou d'Aribat-Pardine », proche de Poubeau. On ne peut que sourire devant ce gros rocher usé par toutes les glissades que les filles du pays, désireuses de trouver un mari, avaient jadis coutume d'effectuer à califourchon sur sa puissante nervure.

Revenu à Castillon-de-Larboust où les blocs erratiques semés par le glacier quaternaire des Gourgs Blancs encombrent les champs, on remonte la vallée d'Oô jusqu'à son terminus carrossable, aux granges d'Astau.

Ensuite, pour gagner le lac d'Oô (alt. 1 504 m), il faut monter à pied, à travers prés et forêt, le long d'un excellent chemin (tronçon du GR 10, balisé en blanc et rouge).

Légèrement exhaussé par un petit barrage artificiel, le lac d'Oô est cerné de hautes falaises sur le tiers de son périmètre. Sa belle nappe sombre est agrémentée par l'arrivée de la cascade de Séculéjo dont la chute de 273 m (la deuxième des Pyrénées pour la hauteur) se termine dans les rochers bordant le lac. Sous la surface du lac existent des cônes d'éboulis formant un ample et curieux phénomène de remplissage. Sans doute faut-il voir dans ces nervures de graviers sous-lacustres des restes d'anciennes moraines datant du quaternaire.

Sur les rives du lac, du moins dans leur portion herbeuse, s'étale une pelouse typique de l'étage montagnard. Le nard y domine associé à beaucoup d'autres plantes dont les espèces varient en fonction de leur situation. Ainsi remarquera-t-on que les renoncules occupent les creux humides ; les orchis, les pentes plus sèches ; tandis que sur les éboulis pousse la cardamine et dans les anfractuosités des rochers s'incruste la joubarbe sempervivum. On y trouve aussi plusieurs espèces de gentiane qui viennent compléter cette association végétale caractéristique des estives pyrénéennes.

Retour à Luchon par l'itinéraire de montée.

A Saint-Pé-de-Garin, les constructeurs de la chapelle de Saint-Pé-la-Moraine ont réutilisé les stelles d'un ancien temple romain.

Passe-montagne sur une coiffure à la garçonne, minijupe et chaussures basses, voilà la Reine des Neiges qui sévissait à Superbagnères, du moins telle que la voyait la revue « la Vie Parisienne » durant les années folles. (Coll. P. Minvielle.)

A droite. Cascade d'Enfer, dans la vallée du Lys.

Excursion à Superbagnères (1 804 m)

Durée : une demi-journée (25 km aller et retour).

La station de ski de Superbagnères, la plus ancienne des Pyrénées, occupe une sommité située au sud de Luchon. Elle est accessible par la route. On suit d'abord la vallée de la Pique, abordant la montagne devant la pittoresque tour de Castel-Vieil, puis s'enfonçant dans une gorge boisée jusqu'au pont de Ravi. Après quoi, on emprunte une partie de la vallée du Lys avant de bifurquer sur la droite pour suivre le lacet d'une route de montagne qui grimpe jusqu'à Superbagnères.

Outre les hôtels et les équipements de la station, on découvre à Superbagnères un magnifique panorama largement popularisé par la photographie. Une table d'orientation située au sud de la station occupe le meilleur point de vue. On surplombe la vallée du Lys que le regard prend en enfilade.

La vallée du Lys tire son nom d'un

terme local « lis » qui signifie « avalanche ». Vue d'en haut, la vallée présente cependant un fond bocager ceinturé par deux versants boisés de sapins qui la garantissent contre les coulées de neige. En amont, après le terminus d'une petite route, on voit la vallée se resserrer. Plus haut, le torrent du Lys est caché par une gorge boisée. Ses eaux proviennent des glaciers des Crabioules et de Maupas étalés au pied des pics des Crabioules, Lézat et Maupas dont les pyramides rocheuses ferment l'horizon vers le sud. Depuis ces neiges éternelles, le torrent qui n'est encore que le « ru d'Enfer » traverse les estives du clot des Piches et plonge de 1 000 m par un chapelet de cascades, le gouffre et la cascade d'Enfer notamment, qui comptent parmi les plus belles chutes des Pyrénées. Les embruns de ces cascades créent un microclimat froid et humide qui favorise la pousse des sapins. Et leurs silhouettes noires assombrissent encore cette gorge qui contraste violemment avec les prairies où débouche le torrent à sa sortie de la clue.

Ascension au port de Vénasque

Durée : 1 jour (6 heures de marche, aller et retour; en auto : 10 km, aller et retour).

L'ascension au port de Vénasque présente l'attrait d'une véritable excursion en montagne.

L'itinéraire automobile traverse la plaine agricole de Saint-Mamet, remonte la gorge de la Pique jusqu'au pont de Ravi. Au-delà, la route ayant été emportée par un éboulement, c'est à pied qu'il faut poursuivre le trajet jusqu'à l'Hospice de France. On traverse la forêt domaniale de Luchon. Son peuplement se répartit de la façon suivante : hêtre, 20 pour 100 et sapin, 80 pour 100, par suite de l'influence de l'altitude qui favorise cette dernière espèce.

Sur le versant opposé à la route s'étend l'Arboretum de Jouéou. Installé entre 1945 et 1949, il renferme des essences exotiques classées selon leur provenance géographique : sapin de Californie, de l'Orégon... Ces espèces ont été introduites

Les lacs de Boum et le chemin montant au port de Vénasque. (Lithographie de Mercereau ; Cabinet des Estampes, B.N., Paris.)

en vue de repeupler les pentes pyrénéennes avec les essences les plus appropriées aux conditions du milieu. La route se termine à l'Hospice de France, édifice construit jadis pour accueillir les voyageurs désireux de franchir la montagne.

A proximité de l'Hospice se trouve le Sylvetum domanial de Lau-Desbats, forêt expérimentale composée essentiellement d'épicéas, de pins à crochet et de mélèzes.

De l'Hospice de France (alt. 1 385 m), le sentier grimpe vers le sud jusqu'au port de Vénasque (alt. 2 448 m). On longe d'abord un ravin creusé par le torrent de Boum en s'élevant sur des versants piquetés de pins à crochet et semés de rhododendrons. Un interminable enchaînement de lacets conduit ensuite aux lacs de Boum. Enfin des pentes couvertes de pierraille mènent au port de Vénasque dont on aperçoit depuis longtemps la brèche taillée dans la roche.

Le débouché au port de Vénasque équivaut à un coup de théâtre. Le panorama que vous découvrez vous saisit par son

ampleur, sa désolation et son pittoresque. On est en balcon face au massif de la Maladeta. Au-delà des pâturages de la Rencluse que surplombe le col, la ligne oblique des monts Maudits dresse le hérissement de ses sommets : le pic d'Albe, le pic de la Maladeta, le pic du Milieu et le pic Coroné masquant le pic d'Aneto. Les glaciers de la Maladeta et de l'Aneto, d'une étendue inhabituelle dans les Pyrénées, semblent interdire l'approche des monts Maudits.

Des montagnards se reposent au sommet du pic d'Aneto, point culminant des Pyrénées (3 404 m d'altitude).

Au pied des précipices de la Maladeta, le lac Gregonio étale sa nappe sombre parmi les neiges qui montent vers le col Maudit.

Devant cette immensité désolée on comprend mieux la terreur que ce paysage inspira aux populations luchonnaises. Si la cime de la Maladeta fut atteinte dès 1817 par l'Allemand Parrot et le guide luchonnais Pierre Barrau, la disparition du même Barrau dans une crevasse du glacier s'ajoutant aux légendes qui s'attachaient à ce massif confirma le baptême des monts Maudits et fit de son point culminant, l'Aneto, une cime longtemps interdite. Les guides qui conduisaient les touristes romantiques au port de Vénasque ne manquaient jamais de rappeler la fin tragique de Barrau ; ils indiquaient du doigt le glacier et s'écriaient : « Il est là, Barrau, le pauvre Barrau. » Il fallut le courage du comte de Franqueville et du capitaine de Tchiatcheff flanqués de plusieurs guides pour que soit enfin atteinte la cime de l'Aneto. Cette ascension d'abord qualifiée de « tentative insensée », puis de « victoire triomphale » eut lieu le 20 juillet 1842. Son retentissement fut si grand qu'elle fit l'objet d'une communication à l'Académie des sciences de Paris.

Visite du val d'Aran (Espagne)

Durée : 1 jour (86 km, aller et retour).

Dix-huit kilomètres séparent Luchon et Bosost, le village espagnol le plus proche, en val d'Aran. Il suffit de prendre par Saint-Mamet, la route qui monte au portillon de Burbe, par le vallon de Burbe, ses prairies, sa forêt un peu touffue et sa charmante cascade de Sidonie qui fut jadis un but de promenade pour les touristes romantiques ; puis au col du Portillon, redescendre sur le versant espagnol de la crête vers Bosost.

On entre ainsi dans le val d'Aran. Entre le port de la Bonaïgua et le défilé par lequel la Garonne pénètre en territoire français, en aval de Bosost, s'étend une auge glaciaire, close de hautes montagnes, au fond tapissé par le camaïeu des champs et piqueté de villages aux toits d'ardoise. Parlant catalan, lorgnant vers la Gascogne, ce canton rattaché jadis au diocèse de Comminges, inféodé au royaume d'Aragon dès 1313, puis à la Catalogne, partie intégrante de l'unité

La Garonne dans le val d'Aran.

espagnole, le val d'Aran est surtout typiquement pyrénéen. Comment qualifier sinon cet amalgame de toits d'ardoise, de murettes de galets, cette économie partagée entre l'agriculture et l'élevage, l'espoir que font lever le tourisme et le ski? Mais pour mieux pénétrer l'âme aranaise, il faut aller d'une église à l'autre découvrir les trésors artistiques qu'elles recèlent. Ici, presque toutes les églises paroissiales sont romanes. Sauf à Viella, la capitale, dont l'église est gothique, mais héberge l'admirable Christ mutilé en bois qui se trouvait autrefois à Mitg-Aran. Il faut voir aussi l'énorme Christ roman de Salardu dégagé du tronc d'arbre originel à coups de ciseau puissants, le porche de Vilach avec son Christ en majesté trônant sur le tympan, les trois retables naïfs de Begos (XVIIIe siècle), le hameau de Las Bordas, les fresques et les retables d'Artiès. Il faut surtout errer, suivre l'inspiration dans un terroir que le percement du tunnel de Viella a désenclavé mais par bonheur n'a pas détruit.

Une vieille serrure dans un village du val d'Aran.

La porte de l'église ne ferme plus faute d'entretien, et les herbes sauvages envahissent le cimetière. Le village d'Aneto se meurt.

Le glacier du pic d'Aneto et le massif des Monts Maudits vus depuis le port de Vénasque.

Traversée pédestre de la vallée de la Pique à la vallée du Lys

Durée : 5 heures.

La liaison entre les vallées de la Pique et du Lys peut être effectuée à pied, par la montagne. Elle présente l'attrait particulier d'une randonnée dans le secteur montagnard des Pyrénées centrales, à la charnière des influences atlantiques et méditerranéennes.

Partir de l'Hospice de France. Prendre le chemin qui monte vers l'ouest, en direction du col de Sacroux. L'itinéraire emprunte d'abord le chemin du port de Vénasque, puis bifurque à droite vers le col de Sacroux. Dans les pelouses on remarquera les premières plantes méditerranéennes comme le thym et la sarriette, associées aux plantes de la nardaie. Le chemin longe bientôt la belle cascade des Demoiselles.

Après avoir quitté l'étage forestier, le chemin atteint le col de Sacroux. Il se poursuit presque au même niveau jusqu'au col de Pinata.

Sur les rochers, on observera de beaux lichens, aux thalles gris, jaune, rougeâtre ou noir. Les lichens jaune citron et aux périthèces (organes de sporulation) noirs sont les lichens géographiques *(Rhizocarpon geographicum)*, fort communs à ces altitudes. Un thalle gris ou noir signale le genre *Verruca* tandis qu'un thalle brun-rouge moins lié au rocher caractérise *Calopaca elegans* et qu'un thalle jaune corticole définit *Physica parietina*. Tous ces lichens de ro-

Le roitelet huppé s'accommode de biotopes divers.

Avant de pénétrer en France, la Garonne forme déjà un beau cours d'eau qui irrigue le val d'Aran.

chers se retrouvent jusqu'aux plus hauts sommets. Dans les combes à neige, un autre lichens *(Cetaria islandica)*, le Lichen d'Islande adopte une forme buissonnante.

Dans les pâturages buissonnent aussi différentes espèces de lichens du genre *Cladonia* tantôt avec pyxides (organes dressés portant les corps fructifères), tantôt en forme d'arbustes ramifiés *(Cladonia rangiferisa) :* le Lichen des rennes.

Du col de Pinata, on gagnera la vallée du Lys. Au cours de cette descente, on ne tarde pas à atteindre l'étage forestier, représenté ici par une belle sapinière. On notera aussitôt l'ambiance très obscure qui règne sous bois. Sur l'épais tapis des aiguilles de sapin poussent tout de même quelques phanérogammes comme la petite Pirola. En peuplement dense comme il se présente ici, le sapin à tendance à régresser, à la suite d'un processus spontané. La germination des graines de sapin est en effet gênée par la trop grande acidité du sol de la sapinière, qui est due elle-même à la décomposition des aiguilles.

La sapinière est plutôt silencieuse. Ce silence provient de l'absence relative d'oiseaux. Peu d'entre eux vivent dans les ramures de sapins, à l'exception de quelques espèces sylvicoles : le roitelet huppé, le roitelet triple bandeau, la mésange à tête noire, le bouvreuil. En ce qui concerne les roitelets, il semble que l'espèce à triple bandeau se cantonne plutôt à la base de la sapinière qu'il colonise seul jusqu'à 800 m d'altitude alors que le roitelet huppé a sa niche écologique au-dessus de 1 400 m. Entre 800 et 1 400 m, les deux populations se superposent.

Sur les troncs des sapins, on distingue les trous que le pic noir perfore dans l'écorce des arbres, à la recherche des larves dont il se nourrit. Cet oiseau partage le même milieu que le coq de bruyère ou grand tétras.

Le chemin rejoint le sentier des cascades de la vallée du Lys, qui conduit au terminus de la route carrossable de cette vallée.

Pelouses où fleurissent le thym et la sarriette, rochers couverts de lichen, tapis d'aiguilles de sapin : les vallées de la Lys et de la Pique déploient leurs fastes.

Itinéraire nº 7
Les montagnes de l'Ariège

Présentation du secteur

Au centre de la chaîne, dans le secteur compris entre la haute vallée de la Garonne et la haute vallée de l'Ariège, la structure des Pyrénées conserve ses grandes lignes : paléozoïque ou granitique, avec le pic de Maubermé (2 880 m), le mont Valier (2 838 m), le pic de Montcalm (3 078 m) et son voisin le pic d'Estats (3 115 m), la zone axiale s'adosse à la frontière franco-espagnole ; elle est précédée par un front nord-pyrénéen calcaire que des vallées transversales sectionnent en terroirs distincts : la Ballongue, entre la Garonne et le Lez ; le Couserans entre le Lez et le Salat ; plus à l'est encore, le chaînon de l'Arize, limité par le Salat et l'Ariège.

Dans ce district essentiellement montagneux, l'empreinte des glaciers quaternaires est moins marquée que dans le reste des Pyrénées. Les vallées qui s'y enfoncent ne présentent pas ces vastes auges glaciaires qui facilitent ailleurs la

En montant au col de la Sore, on découvre un paysage typique des montagnes ariégeoises.

129

circulation. Le rameau des vallées ariégeoises qui convergent sur le Salat à Saint-Girons n'offrent que des gorges étroites. Longtemps la vallée de Biros ou coule le Lez, la vallée de Bethmale, la haute vallée du Salat, la vallée d'Ustou et celle du Garbet passèrent pour des « bouts-du-monde ». D'autant que la couverture végétale y demeure abondante. Par suite de ces difficultés de pénétration, le défrichement y a été plus tardif. La chênaie conserve encore de vastes espaces que le bocage n'est pas venu lui disputer. Il en résulte que des bois de chênes voisinent souvent avec la hêtraie-sapinière. Et comme cet étage forestier correspond à l'altitude de la plupart des montagnes dans ce secteur, il occupe ici de très vastes territoires. Tant et si bien

que le touriste qui se risque dans ces vallées éprouve une impression de fourré inextricable aggravée par l'idée d'éloignement et son opinion s'affermit d'être dans un territoire encore hostile à l'homme.

C'est le pays des ours et des légendes ; le pays des grottes préhistoriques ; un monde vraiment à part.

A la recherche d'espaces libres, l'étage des granges s'est implanté souvent en lisière supérieure de la forêt, à la limite de l'estive où les « gers » ont servi de points de peuplement coupés du monde, à la fois par le relief et la forêt. Aussi comprend-on que les villages de ce type , comme Bethmale, Salau ou Ustou, notamment, aient conservé un si curieux aspect anachronique.

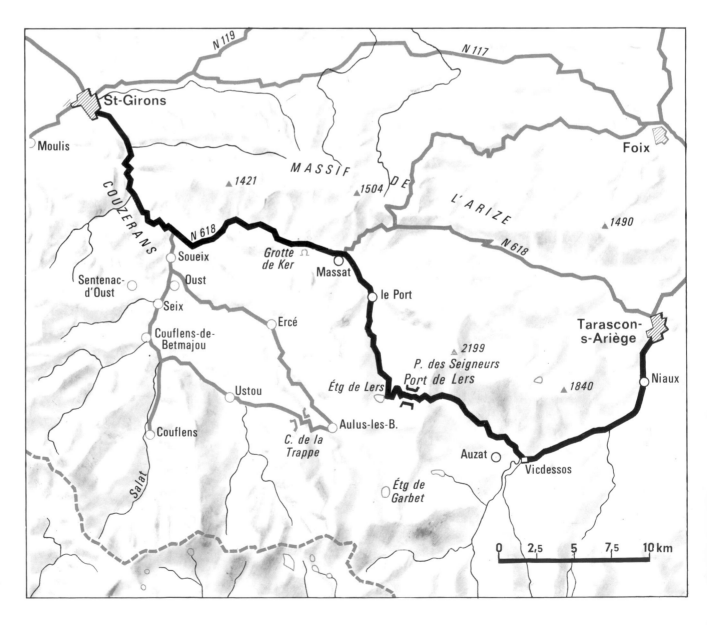

Itinéraire de Saint-Girons à Tarascon-sur-Ariège.

On devine que les populations de ces montagnes ont rarement pu mettre en valeur les richesses naturelles de leur terroir par suite de cet enclavement. Mise à part l'exploitation du bois qui a, de tout temps, été la grande affaire dans ces vallées, la vogue du thermalisme a peu profité des sources thermales d'Aulus, l'industrie du ski découvre à peine les possibilités offertes par les champs de neige ariégeois et le simple tourisme a oublié ce territoire longtemps dépourvu de routes.

Au terme de ces vallées méconnues pourtant, la réserve domaniale cynégétique du mont Valier protège, d'ores et déjà, une faune précieuse (ours, isard, coq de bruyère), tandis que le parc national que l'État projette de créer en haute Ariège renforcerait, espère-t-on, le prestige de cette région ignorée… à condition que ce projet soit accepté par la population !

Moyens d'information

Cartes
Michelin, n° 86.
I.G.N. 1/100 000, n° 71.
I.G.N. 1/50 000, Aspet, Pic de Maubermé, Saint-Girons, Aulus, Foix, Vicdessos.
Randonnées pyrénéennes, 1/50 000, Couserans-Vicdessos.

Bibliographie
Montagnes du Couserans (guides et itinéraires), Syndicat d'initiative de Saint-Girons, 09200, Saint-Girons.
Les Pyrénées ariégeoises, Michel Sébastien, Denoël-Marrimpouey, 1980, Paris.
Haute Randonnée pyrénéenne, G. Véron, 1974, C.A.F., Paris.
G.R. 10, Tronçon de l'Ariège, 1978, C.N.S.G.R., Paris.
Promenades et Excursions dans les montagnes du Biros et du Castillonnais, F. Pujol, G. Moune, P. Andrieu, 1976, Saint-Girons.

Accompagnateurs en montagne
S.I. du Biros-Sentein, 09800, Saint-Girons, tél. (61) 66.02.19.

De Saint-Girons à Tarascon-sur-Ariège

Durée : 1 jour et demi (159 km).

A la rencontre du Salat et du Lez, Moulis sert de capitale au Biros. A proximité de la localité, le Centre national de la recherche scientifique a aménagé une grotte en laboratoire de recherche où sont poursuivies des expériences et des observations sur la faune cavernicole et les climats souterrains.

Aux environs de Moulis, les carrières ouvertes dans les falaises fournissent un calcaire noir, très dur, que les marbriers connaissent sous le nom de « marbre grand deuil ».

La vallée du Lez, également appelée vallée du Biros, offre au touriste qui la remonte le paysage de ses versants boisés. Ces forêts où le hêtre domine à 94 pour 100, ont toujours représenté la richesse collective en Couserans. En 1827, lorsque le gouvernement du roi Charles X édicta le Code forestier, les habitants de ces vallées prirent ces dispositions comme une atteinte à leurs droits.

Le 15 août à Sentein. Dans tout le Biros, le costume traditionnel des femmes comporte les sabots à longue pointe de Bethmale.

La révolte populaire qui en résulta prit la forme d'une jacquerie connue sous le nom de « guerre des Demoiselles ». Viriles demoiselles en vérité, ces membres de commandos vêtus de chemises dont la couleur blanche servait de signe de reconnaissance lors des expéditions nocturnes et des coups de main qu'ils effectuèrent contre les fonctionnaires chargés d'appliquer la loi forestière. Cette curieuse guérilla devait durer plus de dix ans avant que la révolte ariégeoise s'appaise.

Aujourd'hui, le massif forestier du Biros sert de cadre à de paisibles promenades sylvestres. Un chemin balisé et des gîtes d'étapes organisés par les soins de l'association La Randonnée pyrénéenne permettent d'effectuer à pied le tour du Biros.

« L'Ariège fournit du fer et des hommes » assurait Napoléon. Forte race que celle de ces montagnards élevés à la dure pour survivre dans ces vallées aux forêts inextricables et au climat rude.

Sur la vallée du Biros se greffe la vallée de Bethmale où fleurissait jadis un folklore dont la renommée dépassait les frontières du secteur. Le costume bleu et rouge que les habitants portent encore les jours de fêtes était sans équivalent dans les Pyrénées et certains ethnographes n'ont pas hésité à aller chercher dans le Péloponnèse les sources d'inspiration de cet habillement. Les sabots de noce, à Bethmale, étaient sculptés dans du bois de hêtre ou de cerisier par le fiancé pour sa promise. La longue pointe recourbée qu'ils portaient à l'avant et le cloutage en forme de cœur auraient un sens historique si l'on en croit la légende : les Maures ayant envahi la vallée et violé les femmes, les Bethmalais se vengèrent, tuèrent les envahisseurs et l'un des habitants aurait enfilé sur son

Dans la vallée d'Ustou, l'étage des granges et son bocage semblent prédestinés pour le pique-nique et le camping.

arme le cœur du Maure qui avait violenté sa fiancée et l'ornement du sabot commémorerait cet épisode tragique.

Aujourd'hui ce folklore a perdu sa violence, mais les forêts sur lesquelles s'appuyait la vie locale demeurent toujours épaisses. Divisée en trois secteurs principaux, la forêt domaniale de Bethmale demeure l'une des belles hêtraies des Pyrénées. L'Office national des forêts y a aménagé non seulement des sentiers de randonnée mais aussi une aire de jeu installée autour du petit étang de Bethmale.

Par le col de la Core, on passe sans difficulté de la vallée de Bethmale dans le bassin du Salat dont on atteint le val à Seix. Comme dans toutes les vallées des Pyrénées, l'exode rural frappe les populations agricoles montagnardes de ces villages. Les habitants s'en vont parce que les exploitations fragmentées en lopins disséminés dans la montagne ne sont plus rentables. Si les villes de la plaine, mais aussi l'Amérique du Sud et la Californie, constituent en général les pôles attractifs des migrants pyrénéens, dans les villages du Couserans, Seix, Sentenac d'Oust ou Couflens par exemple, on part plus volontiers pour New York et, là-bas, sans perdre le souvenir de la petite patrie ariégeoise, on se fait chauffeur de taxi.

En amont de Seix, au pont de la Taule, il faut abandonner la vallée du Salat pour remonter la charmante vallée d'Ustou. En passant devant la chapelle de la Font-Sainte, on aura une pensée pour les pèlerins de jadis qui n'hésitaient pas à franchir la montagne pour venir boire l'eau de cette fontaine. On prétendait en effet que cette eau était miraculeuse puisqu'elle avait jailli à la suite d'un coup rageur qu'aurait donné sur le sol saint Valier, l'auxiliateur principal du Couserans, avec sa crosse épiscopale.

D'Ustou, par le col de la Trappe, on atteint Aulus-les-Bains, modeste station thermale, mais principale localité de la vallée du Garbet. On ne saurait trop recommander Aulus aux amateurs d'excursions qui y trouveront un point de départ commode pour visiter les nombreuses merveilles naturelles des envi-

rons et notamment la cascade d'Arse, l'étang de Garbet ou les vieilles mines de l'Argentière où l'on peut encore ramasser des échantillons de plomb argentifère.

On redescend d'Aulus à Oust par la vallée du Garbet. La route qui traverse un bocage cloturé de grosses dalles fichées en terre, avec des frênes et des canaux où chantent des filets d'eau, est jalonnée de hameaux qui furent d'abord des groupes de « gers » avant de devenir des points d'habitation sédentaires.

Sur les versants, la forêt est partout une hêtraie épaisse au sous-bois envahi par des fourrés. Son isolement, son aspect impénétrable, son altitude moyenne y composent l'un des deux derniers biotopes à ours des Pyrénées (avec celui du Béarn). De tout temps, le village d'Ercé s'est d'ailleurs fait une spécialité de la capture et du dressage des ours. Au XIXe siècle, il existait ici une « École des Ours » où les plantigrades capturés apprenaient à danser au cri de : « Dansez,

Détail d'un poulailler à Saurat (Ariège).

Dans la vallée du haut Salat, les eaux claires du torrent cascadent entre les prés de fauche.

Mademoiselle. » Les montreurs d'ours d'Ercé, ou plutôt les « oussatès », s'en allaient ensuite à travers la France, parcourant les routes avec leur fauve tenu en laisse et s'arrêtant dans les villages pour donner des « représentations ». En 1904, lorsque le préfet de l'Ariège voulut faire appliquer la loi sur les Congrégations et que les gendarmes à cheval montèrent à Ercé assurer l'inventaire de l'église contre l'avis de la population, celle-ci rangea en bataille sur le parvis de l'église des ours apprivoisés dont la simple odeur sema la panique dans la cavalerie et changea en déroute de la maréchaussée cette opération de simple police.

Après Oust, en aval de Soueix, il a fallu percer en tunnel la roche de Kercabanac pour laisser passer la route. Le tunnel de Kercabanac, comme d'ailleurs les sombres gorges de l'Arac, que l'on empruntera ensuite jusqu'à Massat, illustrent ces barrières que la nature opposait aux échanges entre ces vallées du Couserans et le monde extérieur. Dans

Au col de Port, à la limite des estives, les « gers » où l'on vient habiter le temps de couper le foin, sont encore surmontées de la vieille coiffe de chaume.

ces vallées interdites, la présence humaine est pourtant fort ancienne, comme en témoignent les vestiges préhistoriques recueillis dans la grotte du Ker, près de Massat. Mais durant des siècles, les échanges de vallée à vallée se sont effectués ici par la montagne. L'espace dégagé que représentait l'estive offrait un lieu de rencontre agréable, voire un lieu de fête. En été, lors de la fête de Massat, la population du village montait au col de Port où se déroulaient les festivités ; on y dansait la « rémenille ».

Fougères et genets empiètent sur l'estive au col de Lers.

Laissant, à gauche, la route du col de Port, on empruntera plutôt la rocade qui grimpe au col de Lers, via le Port et le hameau de Peyre-Auselère. En haut du vallon de Courtignou s'étale la belle nappe de l'étang de Lers, site agréable de pique-nique et lieu connu des minéralogistes qui viennent y chercher des échantillons de lerzolithe.

Ensuite, par le port de Lers et le vallon de Suc, on passera dans le bassin du Vicdessos dont on atteindra le cours au

Le bouquetin a disparu des Pyrénées françaises, mais il y a existé, comme en témoigne cette peinture, vieille de 9 000 ans, que l'on peut voir dans la grotte préhistorique de Niaux.

village de Vicdessos. Vers la fin de la descente, on aperçoit brièvement le massif du pic Rouge de Bassiès sur les flancs duquel la Wild World Life Fondation a introduit des mouflons capturés en Corse et qui semblent bien s'adapter à leur nouveau biotope.

A vrai dire, les mouflons existaient déjà dans ces montagnes, il y a 10 000 ans. Pour s'en convaincre, il suffit d'aller visiter l'impressionnante grotte qui s'ouvre au-dessus de Niaux (classée monument historique, entrée payante et réglementée), à 11 km de Vicdessos. Dans les arcanes de cette caverne, plus précisément dans la « Rotonde du salon noir », des peintres préhistoriques ont tracé des fresques animalières saisissantes de fraîcheur et de vie où le mouflon figure à côté du sanglier, de l'isard, du bouquetin et du cheval.

Au cours de la visite dans l'antre de Niaux, le touriste ne manquera pas d'être frappé par l'énormité des couloirs de la caverne. La grotte de Niaux participe d'un vaste système souterrain inscrit dans la montagne du Cap-de-la-Lesse qui sépare la vallée du Vicdessos et celle de l'Ariège. Une jonction a pu être réalisée par les spéléologues entre la grotte de Niaux et celle de Lombrives, en vallée de l'Ariège, et la communication demeure probable entre ces deux cavités et la caverne de Sabart située un peu plus bas dans le massif.

On trouvera l'ouverture de cette caverne de Sabart dans une carrière désaffectée en rive droite du Vicdessos, face à une usine métallurgique. Cette grotte n'étant pas aménagée pour le tourisme, sa visite ne saurait s'effectuer sans emporter des lampes individuelles portatives et sans prêter la plus grande attention aux différents embranchements de couloirs que l'on rencontre dans ce dédale. Mais, à condition de prendre ces précautions, il est possible de déambuler dans cette grotte. On y découvrira l'une des plus vastes salles de la France souterraine.

Avant de gagner Tarascon-sur-Ariège, on complétera cette visite aux grottes du secteur par une incursion dans les grottes d'Ussat et de Bouan. A Ussat-les-

Bains, en rive gauche de l'Ariège, on visitera la cathédrale souterraine de Lombrives (aménagée pour le tourisme) dont les voûtes d'une hauteur considérable ont sans doute abrité des cultes protohistoriques et des assemblées cathares. C'est du moins ce que semblent indiquer les mystérieux symboles gravés sur les parois de la grotte.

En rive droite de l'Ariège, la grotte de Bethléem (entrée payante) restitue un lieu de culte cathare à trois étages correspondant respectivement aux trois étapes menant à cet état d'extase que les Parfaits nommaient le « consolamentum ».

En amont d'Ussat, les falaises de Bouan recèlent des grottes fortifiées, bien visibles de la route. Il semble que ce réduit ait servi de refuge ultime aux derniers cathares pourchassés par l'armée de Simon de Montfort après la chute du château de Montségur.

Ensuite, revenant par la même route, on gagnera Tarascon-sur-Ariège, paisible sous-préfecture qui marque la fin de cet itinéraire.

Ascension du pic de Montcalm (3 077 m)

Durée : 10 h 30 mn, aller et retour.

Point de départ : refuge de Montcalm (1 120 m).

D'Auzat, on gagne en voiture le refuge de Montcalm par Saint-Antoine-de-Montcalm et la route d'Artigue. Le refuge est en bordure de cette route, sur la gauche en montant, à 2 km environ après Saint-Antoine-de-Montcalm.

Le pic de Montcalm, au printemps.

Au terme de cette course de haute montagne, la découverte du panorama des Pyrénées ariégeoises.

Équipement : La longueur exceptionnelle de l'excursion, l'altitude finale, l'enneigement tardif et la raideur des dernières pentes font de l'ascension du Montcalm une véritable course montagnarde qu'on ne saurait tenter sans un équipement approprié : vêtements chauds et imperméables en toutes saisons, chaussures de montagne, piolet, provisions dans un sac à dos.

A partir du refuge, l'itinéraire s'élève d'abord en direction sud-ouest. Par un chemin défoncé au bulldozer, monter à travers la hêtraie de Fontanal.

1 h 15 mn — On sort de la forêt. Le chemin se développe dans la pelouse à rhododendrons. A droite, on aperçoit une belle cascade, derrière laquelle le pic Rouge de Bassiès tend sa toile de fond rocheuse.

Le ramassage, le traitement industriel et la distribution moderne du lait ont fait disparaître les porteuses de lait de jadis, l'un de ces petits métiers propres aux vallées pyrénéennes. (Coll. P. Minvielle.)

30 — TYPES PYRÉNÉENS - *Porteuse de lait*

2 h — Le sentier passe devant les orris de Pujol et suit l'axe du ravin.

2 h 40 mn — Un rétrécissement du ravin forme un ressaut que le sentier escalade avant de déboucher sur le Pla Subra (cabanes en ruine). On atteint un gros rocher noir sur lequel sont tracées une inscription et des balises rouge et blanche. Quitter le sentier qui continue dans l'axe du vallon et traverser le torrent. En suivant une autre piste, on gravit une pente d'éboulis jusqu'au pied d'une falaise. Au pied même de celle-ci, on pique au sud en suivant les balises qui jalonnent le sentier. Traverser quelques névés et s'élever en direction du sud-ouest.

4 h 15 mn — L'itinéraire s'infléchit vers le nord afin de contourner un éperon bien visible à l'ouest. On accède ensuite dans un vallon suspendu : les Tables de Montcalm. On entreprend alors de gravir en oblique le flanc de l'éperon, en direction du sud.

5 h — Par un grand névé persistant, on oblique vers l'ouest en direction de la Canalette, coupure située entre le pic de Montcalm (au sud) et la pointe de Montcalm (au nord). Le haut de cette pente est raide.

5 h 30 mn — En haut de la Canalette, se diriger au sud-ouest. Le versant rocheux oppose par endroits des pentes raides qui obligent à poser les mains sur la paroi.

6 h 10 mn — On atteint un dôme où la pente se radoucit. Le sol est fait de cailloutis brisés par le gel.

6 h 30 mn — Sommet du pic de Montcalm. Abri en ruine. La vue panoramique est magnifique, sauf dans la direction du sud-ouest où le pic d'Estats trop proche fait écran.

Retour au refuge de Montcalm par le même chemin.

Itinéraire n° 8
Andorre et Capcir

Présentation du secteur

Entre le Vicdessos et la haute vallée de l'Aude, les granites et les schistes de l'axe paléozoïque pyrénéen dressent une nervure puissante, faite de môles indépendants, le pic d'Estats (3 115 m), le puig Pedros (2 905 m) faisant face à son homonyme le pic Pédrous (2 842 m) et enfin le pic Carlit (2 921 m). Deux vallées creusées dans le prolongement l'une de l'autre, celle de la haute Ariège et celle du Valira ou vallée d'Andorre, partagent ce secteur montagneux de leur fossé

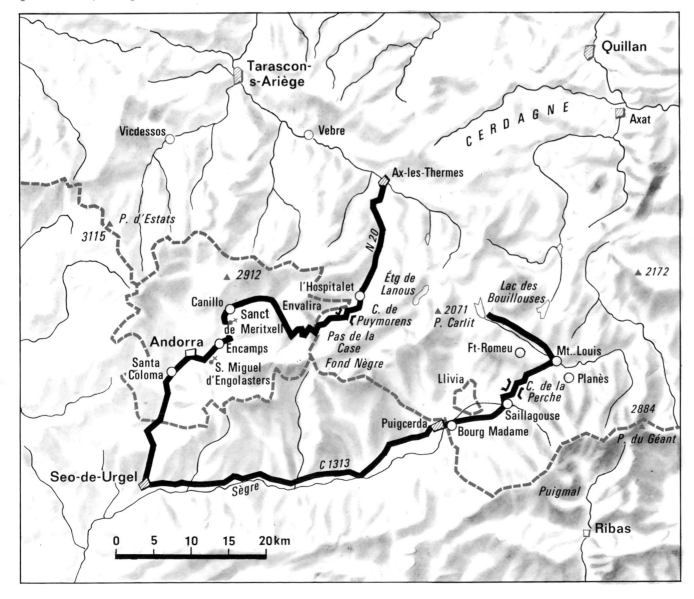

Itinéraire d'Ax-les-Thermes au désert de Carlit, par la principauté d'Andorre.

commun. A l'ouest de cette coupure, le relief compartimenté par des vallées secondaires conserve l'aspect hérissé, le climat continento-montagnard et l'étagement végétal avec bocage, hêtraie-sapinière et une estive rendue aride par la raréfaction des pluies, étagement qui caractérise les montagnes ariégeoises. En revanche, à l'est de la haute vallée de l'Ariège, le Capcir organise son relief autour du pic Carlit et étale à partir de cette pyramide des pentes douces rabottées par une ancienne calotte glaciaire et

Ax-les-Thermes. La vieille tour veille sur l'Ariège.

maintenant semées de lacs que l'on nomme le Désert de Carlit. Sur ces reliefs adoucis, le climat déjà méditerranéen impose une ceinture forestière où le Pin Laricio supplante le hêtre et où l'altitude favorise une très vaste pinède à crochet.

Trois États souverains, la France, l'Espagne et la principauté d'Andorre, se partagent cette zone transitoire entre les Pyrénéens continentales et les Pyrénées méditerranéennes. Prolongeant sur le plan politique l'individualisation des vallées prescrite par le relief, les habitants de chaque vallée pyrénéenne ont longtemps caressé le rêve autonomiste pour leur petit monde clos. Mais si l'histoire médiévale nous montre des populations s'efforçant d'organiser dans leur vallée un pouvoir local fondé sur l'élection, gérant les affaires de la vallée et limitant le pouvoir du suzerain ou même opposant des suzerainetés entre elles pour en tirer bénéfice, en général cet autonomisme des vallées n'a pas résisté au nationalisme centralisateur que les temps modernes ont fait prévaloir sur les deux versants des Pyrénées. Une seule vallée a su préserver son indépendance à travers les vicissitudes de l'histoire : la vallée d'Andorre.

La Constitution qui régit cet État souverain fait persister un système politique répandu dans les Pyrénées au Moyen Age : d'une part, la Principauté est gouvernée par deux coprinces qui sont l'évêque espagnol d'Urgel et le président de la République française en tant qu'héritier du roi de France ; d'autre part, le gouvernement du pays est assuré par un conseil de vingt-quatre membres élus par les chefs de famille des six paroisses de la vallée.

Grâce à son indépendance, la principauté d'Andorre fait un peu figure de Hong-Kong pyrénéen. Les produits de consommation qui y bénéficient de franchises douanières sont vendus à des prix qui encouragent le commerce au point que la capitale de la vallée, Andorra-la-Vella, n'est plus qu'un vaste marché. Le chiffre d'affaires que les Andorrans réalisent lors de ces échanges procure à la principauté des ressources si élevées qu'il n'est pas nécessaire de faire appel à l'impôt sur le revenu. Mais si la naturalisation dans ce « paradis fiscal » est très réglementée, le commerce en revanche y est fortement encouragé. Aussi la plupart des touristes qui visitent l'Andorre y cherchent-ils l'occasion d'un achat avantageux plutôt que la contemplation des églises romanes de style lombard aux clochers ajourés de fenêtres géminées comme en conservent encore les villages de la principauté.

Au-delà des frontières de cet État montagnard, la vie des autres vallées du secteur conserve son aspect traditionnel tant dans l'Urgelet, c'est-à-dire sur le versant espagnol, que dans le Capcir, autrement dit sur le versant français.

Aussi est-il profitable de ne pas se cantonner pour une découverte de ce secteur à un séjour dans la principauté d'Andorre.

Mieux vaut effectuer un itinéraire chevauchant la crête des Pyrénées.

Avec son clocher lombard et son abside demi-cylindrique, l'église Sant-Miquel d'Engolasters offre un bel exemple de ces édifices romans, empreints de rusticité, qui jalonnent le val d'Andorre.

Moyens d'information

Cartographie

Michelin, n° 86.

I.G.N. 1/100 000, n° 71.

I.G.N. 1/50 000 : Fontargente, Ax-les-Thermes, Mont-Louis, Saillagouse.

Éditorial Alpina, Guia cartografica, Excursiones, Turismo 1/25 000. Fascicules : « Moixero-La Molina-La Masella », par N. Llopis-Llado et X. Coll. « Andorra », par N. Llopis-Llado. « Puigmal-Nuria », par N. Llopis-Llado et X. Coll.

Bibliographie

Randonnées dans les Pyrénées ariégeoises, par Michel Sébastien, Denoël-Marrimpouey, 1980, Paris.

Montagnes Pyrénées, par J.-L. Pérès et J. Ubiergo, Arthaud, 1973, Paris.

Pyrénées des quarante vallées, par P. Minvielle, Denoël, 1980, Paris.

Por el Pirineo catalan (« El Pallars, el alto Urgel y Andorra »), par Cayetano Enriquez de Salamanca, 1972, Madrid.

Musées

Musée épiscopal de la Seo de Urgel.

Sant-Joan-de-Caselles, bâtie sur un rocher dominant le rio Valira, est l'église romane la plus élevée d'Andorre.

D'Ax-les-Thermes au désert de Carlit, par la principauté d'Andorre

Durée : 2 jours (181 km).

Incrustée dans les gorges de l'Ariège à l'endroit où cette rivière conflue avec le torrent d'Orlu, la station d'Ax-les-Thermes est construite sur une faille par laquelle les eaux thermales remontent des profondeurs de l'écorce terrestre. Les sources de la station débitent chaque jour 3 millions de litres d'eau sulfurée sodique et radioactive. Mais, surtout, ces eaux sont hyperthermales. La source la plus chaude, celle qu'on appelle Rossignol supérieur, jaillit à 78 °C. Ces émissions d'eau bouillante vont jusqu'à créer un véritable microclimat autour de la station, si bien que, en dépit de sa situation déjà montagnarde, la station d'Ax-les-Thermes conserve la neige moins longtemps que les vallées avoisinantes. Les botanistes font remarquer que le peuplement végétal de ces gorges présente une association plus thermophile que dans les vallées toutes proches.

Et, naturellement, la population a mis à profit ces émissions d'eau chaude. Les ménagères s'en servent pour leur vaisselle et leur lessive et utilisent même cette eau sulfureuse additionnée d'une cuillerée d'huile et d'une gousse d'ail pour confectionner un potage local justement baptisé « soupe au canon ».

La route qui remonte la vallée de l'Ariège en amont d'Ax-les-Thermes traverse le pays de Mérens. Sur les versants s'étendent des pâturages où paissent des poneys d'une race locale. Les poneys de Mérens sont l'équivalent ariégeois du pottiock basque et, sans doute, la souche plus ou moins mélangée des petits chevaux barbus peints sur les parois de la grotte préhistorique de Niaux.

Dominant la zone des pâturages mais invisible depuis la route, les pittoresques massifs du pic de Ruf et du Pédrous sont émaillés de nombreux lacs, dont le plus étendu des Pyrénées : l'étang de Lanoux (84 ha de superficie). Là-haut vit une faune intéressante (isard, lagopède, etc.) dont l'existence justifie une protection que le projet de parc national de la haute Ariège vise à mettre en œuvre.

Quand on a dépassé les lacets de l'Hospitalet d'Andorre et laissé sur la gauche l'embranchement de la route du col de Puymorens, on atteint le pas de la Case par lequel on pénètre dans le territoire de la principauté d'Andorre.

Entre le pas de la Case et le port d'Envalira, des remontées mécaniques d'une station de ski sillonnent le cirque de Font-Nègre au milieu duquel se dresse l'antenne de la radio des Vallées. Ensuite, au-delà du port d'Envalira, la route bascule dans la vallée du Valira oriental, axe transversal de la principauté.

L'art roman, popularisé d'ailleurs par la photographie, tient une large place dans le patrimoine touristique andorran. Sans quitter la route axiale de la vallée, ou en s'écartant très peu de cet axe, on pourra visiter huit de ces vénérables édifices religieux.

Avant d'arriver à Canillo se dresse la première de ces églises, Sant Joan de Caselles, bâtie sur un rocher dominant le Valira oriental. A l'intérieur, dans le chœur, les dorures d'un retable de style Renaissance tranchent sur l'austérité rustique de la nef.

Un peu plus bas dans la vallée et en rive gauche du torrent, le sanctuaire de Merixell est un haut lieu de la piété andorranne. La vierge romane polychrome que l'on y voit n'est pas exceptionnellement belle mais elle a été proclamée « protectrice de la principauté » et l'on vient en procession pour l'implorer.

Au village de Les Bons, le château des Maures domine l'église de Sant Roma de ses ruines guerrières. Quant aux fresques romanes qui ornaient naguère encore cet édifice religieux, elles ont été transportées au Musée d'art catalan de Barcelone. En revanche, à Encamps, un très beau clocher aux fenêtres géminées selon le style roman lombard le plus pur veille sur l'église paroissiale. Plus bas encore dans la vallée, il faut quitter la route principale et grimper sur le versant gauche si l'on veut visiter Sant Miquel d'Engolasters dont les très belles fresques sont maintenant conservées, elles aussi, au Musée de Barcelone. On peut déplorer cette transplantation

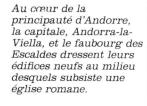

A Ax-les-Thermes, les bains d'eau sulfureuse alimentent une piscine publique au centre de la ville.

Au cœur de la principauté d'Andorre, la capitale, Andorra-la-Viella, et le faubourg des Escaldes dressent leurs édifices neufs au milieu desquels subsiste une église romane.

Vieille race du terroir, le poney barbu de Mérens descend des chevaux préhistoriques peints dans la grotte de Niaux.

143

Dans les étables de Cerdagne, les licols terminés par des mousquetons de buis, les colliers sculptés, les grosses sonnailles sont encore d'usage courant.

Dans l'église Saint-André d'Angoustrine, les fresques qui remontent aux premiers âges de la chrétienté présentent encore des sujets païens. Ici, Janus aux deux visages.

de fresques mais ce déplacement leur évite au moins le triste sort qu'ont connu celles de l'église paroissiale d'Andorra, arrachées par morceaux, vendues, bref dispersées et parfois anéanties.

Si ces pieux édifices ont beaucoup souffert, le plus intéressant demeure en assez bon état. C'est l'église de Santa Coloma. Son clocher lombard extérieurement cylindrique fut, en fait, bâti sur un plan carré mais renforcé aux angles par des rajouts arrondis. L'élégance de ce clocher est indéniable. A l'intérieur lui répondait jadis la grâce des fresques qui ornaient la nef et le chœur mais dont il ne subsiste que de rares lambeaux, notamment un bel Agneau mystique. Ces œuvres ont été peintes par un artiste inconnu mais qui a laissé la marque évidente de son talent dans la plupart des fresques romanes de la vallée. L'histoire de l'art le connaît sous le nom de « maître de Santa Coloma ».

En dépit de cette richesse artistique, l'intérêt que porte à l'Andorre la plupart des touristes réside plutôt dans le shopping. La capitale de la principauté, la petite ville d'Andorra-la-Vella, ainsi que la localité voisine, les Escaldes, ont vu leurs principales artères se peupler de boutiques. Les touristes se pressent en foule dans ces ruelles commerçantes où les vitrines regorgent d'articles vendus à des prix avantageux par suite du système fiscal andorran. Les alcools de provenances diverses y côtoient les appareils électroniques et optiques japonais ou les verreries scandinaves. Les commerçants andorrans jouent à la fois sur la modicité des prix affichés et sur l'excitation supplémentaire que suscite un achat pimenté par les risques de la contrebande. Et si l'on en juge par l'affluence, le calcul des habiles commerçants locaux ne doit pas être dénué de tout fondement. On sortira d'Andorre par la route de Sant Julia de Loria où l'on croisera sans s'arrêter une église romane outrageusement restaurée.

Neuf kilomètres séparent la frontière andorranne et la petite ville espagnole de la Seo de Urgel. En vieux castillan, la « seo » signifie la cathédrale. Bâtie par l'évêque Armengol, la cathédrale d'Urgel, son portail somptueusement orné ainsi que son cloître remontent au XIᵉ siècle. Le rayonnement de cet édifice qui a donné son nom à toute la ville s'est exercé à la fois sur le plan religieux et sur le plan politique ou civilisateur durant tout le Moyen Age. Le palais épiscopal surmonté de tours crénelées était l'un des centres de la pensée catalane médiévale. Le musée qu'il abrite aujourd'hui présente de belles collections mobilières, statues, ciboires, chasubles, etc., dont la somptuosité manifeste encore l'éclat de l'épiscopat d'Urgel. D'ailleurs l'évêché d'Urgel reste important puisque le titulaire de ce siège exerce la dignité de coprince d'Andorre.

De la Seo de Urgel, pour regagner la France, on remontera la vallée du Sègre. Le trajet s'effectue à travers les gorges de l'Urgellet et la fertile plaine de Cerdagne. En Cerdagne, à 1 000 m d'altitude, en pleine montagne donc, on aura la surprise de découvrir des champs de blé et de céréales alternant avec des prairies nourricières de gros bétail. La production laitière de la Cerdagne est considérable, suffisante même pour alimenter les plus puissantes laiteries du versant espagnol des Pyrénées.

On franchit la frontière entre Puigcerda et Bourg-Madame. De cette localité, on prendra la route du col de la Perche pour gagner Mont-Louis. On laissera ainsi sur la gauche l'enclave de Llivia. L'origine de ce fragment de territoire espagnol enclavé au milieu du territoire français mérite d'être rappelée. Lorsque la commission franco-espagnole des frontières négocia le tracé de la frontière après le traité des Pyrénées, il fut convenu que la campagne et les villages de cette partie nord de la Cerdagne reviendrait à la France. Mais Llivia se réclamant de ses titres de ville et de capitale locale ne put être assimilé à un simple village ou à une campagne et son cas fut disjoint. Ainsi pour une simple raison de terminologie honorifique, ces 12 km² furent séparés de la région alentour et échurent à l'Espagne.

Au-delà de Saillagouse, à droite de la route qui monte vers le col de la Perche, on peut apercevoir un long mur s'étirant dans la montagne. Il borde le « cami ramader », le chemin de transhumance qui traversait jadis ces montagnes. Sa structure en pierre sèche développe encore un double mur presque continu entre Eyne et Madrès, soit sur une distance de 22 km.

Au-delà du col de la Perche, l'église de Planès mérite un détour. Là-haut, en pleine montagne, les absides ventrues de cet édifice soit disant mauresque proposent leur énigme aux amateurs d'architecture. En effet, ces absides occupent les extrémités d'un triangle car l'église de Planès présente le cas rarissime d'une construction religieuse à plan triangulaire. Mais on s'interrogera longtemps sur la finalité d'un tel plan.

Sans entrer dans Mont-Louis, étape finale de cet itinéraire, on fera un crochet jusqu'au lac des Bouillouses par la route forestière de la forêt de Barrès. La traversée de ce massif boisé de 2 019 ha inspire l'enchantement tant sont variées les essences des arbres (pin sylvestre, pin de salzman, pin à crochet, etc.) qui

forment cet ensemble sylvestre justement classé en réserve forestière. A remonter le cour supérieur de la Têt, on parvient au lac des Bouillouses. Rehaussé par un barrage artificiel, ce lac offre le spectacle d'une superbe et vaste nappe s'étendant à 2 000 m d'altitude entre des rives boisées de pins à crochet. Le lac et ses rives abritent une faune rare (oiseaux et insectes notamment) qui fait l'objet d'études réalisées par une équipe du CNRS, installée dans un laboratoire construit à proximité du barrage. Le lac des Bouillouses est aussi le point de départ pour de multiples randonnées à travers le désert de Carlit dans lequel il s'intègre.

Le paysage des Bouillouses constitue d'ailleurs un excellent exemple des panoramas qu'offre ce désert. On y retrouve les lignes arrondies du relief dues au travail d'une ancienne calotte glaciaire. Le lac lui-même et les tourbières que l'on aperçoit à l'entour occupent les cuvettes dégagées sur l'icefield par la fonte des glaces.

Retour à Mont-Louis.

Au pied du Carlit, la forteresse de Mont-Louis, dessinée par Vauban, garde le déboucher de la Cerdagne. En 1794, le général Dagobert y arrêta les Espagnols.

Ascension du pic Carlit (2 921 m)

Point de départ : barrage du lac des Bouillouses (2 020 m).

Durée : 5 h, aller et retour.

A proximité de l'ancrage occidental du barrage, suivre un chemin qui longe la rive droite du lac des Bouillouses. On pénètre sous les pins. A un coude du chemin s'amorce un sentier qui continue à longer la rive du lac tandis que le large chemin s'en éloigne. Prendre le sentier. Il s'élève insensiblement en s'éloignant quelque peu de la rive. A l'arrivée sur un ravin, le sentier bifurque. Tourner à gauche et s'élever dans le ravin. Les rhododendrons et la pinède recouvrent des blocs entre lesquels zigzague le sentier.

20 mn — On atteint l'étang del Vive. Suivre la berge de ce lac, puis s'élever au flanc d'un dôme herbeux situé légèrement sur la gauche. Une fois franchie la ligne de crête de ce dôme, on découvre un chapelet de petits lacs que l'on domine d'une vingtaine de mètres. Laisser à gauche l'étang de Llat et l'étang de Llong et à droite le minuscule étang de Balleil et celui de Las Dougnes qui lui fait suite. En face, un deuxième chapelet de lacs. Le sentier contourne un mamelon rougeâtre et pique sur l'étang de Soubiran.

1 h 10 mn — On longe l'étang de Soubiran en dominant sa rive droite. Le sentier descend un peu et atteint la pierraille. Se dirigeant vers l'ouest, on progresse dans un vallon où la neige subsiste par plaques.

2 h — A droite, petit étang partiellement gelé. Monter vers un petit col, bien visible dans l'axe du vallon. Du col, suivre la crête qui grimpe vers la gauche (sud-ouest).

3 h — Sommet du pic Carlit. Panorama très étendu allant des monts Maudits au mont Canigou.

Le charme principal de cet itinéraire réside dans la découverte des innombrables lacs et étangs du « désert de Carlit ».

147

Itinéraire n° 9
Les Pyrénées catalanes

Présentation du secteur

L'extrémité orientale de la chaîne des Pyrénées prolonge l'axe de la cordillère franco-espagnole en s'abaissant progressivement à mesure que l'on s'approche de la mer Méditerranée. C'est le vieux socle de granite qui se répand ici et expose son visage usé par l'histoire géologique au-dessus de plaines gagnées depuis peu sur la mer par les sédiments apportés par l'Aude, la Têt et le Tech, au nord, et par le rio Fluvia, au sud.

Sur ces vieilles montagnes insuffisamment rajeunies à l'ère tertiaire, donc très peu modelées par les glaciers quaternaires, on ne retrouve plus la belle ordonnance des vallées perpendiculaires à l'axe de la chaîne que l'on observe dans le reste des Pyrénées. A l'est de l'Aude, les vallées du Conflent et du Vallespir ne sont en fait que de grandes failles tectoniques qui ont brisé le socle de granite. Entre elles, se dresse la pyramide tutélaire du mont Canigou (2 775 m) que sa hauteur au-dessus de l'horizon fait apparaître comme une sorte d'Olympe catalane. Car, vers l'est, le chaînon des Albères qui verse sur la mer n'est plus qu'un moutonnement de crêtes arrondies culminant à 1 450 m au Roc de France.

Sur ces crêtes règne un climat ensoleillé — Mont-Louis détient le record français de l'ensoleillement avec 3 000 heures par an — et peu pluvieux. Par conséquent, le tapis végétal ne s'étale pas partout de façon uniforme et lorsqu'il recouvre le sol, sa maigreur laisse souvent visibles les moindres rides du terrain.

Le Roussillon et la Côte Vermeille tirent d'ailleurs leurs noms des couleurs vives du rocher qui perce sous la végétation, et on appelle les Aspres les montagnes situées au nord-est du Canigou à cause de l'âpreté de leur paysage.

A cette originalité qu'elles tirent à la fois du relief et du climat, les Pyrénées catalanes ajoutent un particularisme humain qui tient aux brassages que la population autochtone a connus dans cette portion des Pyrénées qui s'ouvre sur la mer et offre les cols les plus commodes pour franchir la barrière pyrénéenne. Le parler local, presque identique au nord et au sud de la chaîne, est le « catalan », que les linguistes contemporains analysent comme un métissage de la vieille langue pyrénéenne par le latin. De même, l'histoire attribue tour à tour à l'influence espagnole et à l'influence française des portions de territoire qui partout affiche le même blason à bandes alternées de sang et d'or. La province du Roussillon, au nord de la chaîne, répond à la Catalogne qui occupe le sud des Pyrénées dans ce secteur. Mais les genres de vie diffèrent peu d'un versant à l'autre.

La culture de la vigne occupe les pentes exposées au soleil tandis que l'arboriculture profite des zones abritées en basse vallée ou derrière des haies brise-vent en plaine. Les herbages des crêtes, même s'ils sont maigres, accueillent les troupeaux ovins transhumants. Entre la zone des cultures et celle de l'élevage estival, la chênaie sèche qui couvrait le bas des pentes et la pinède de montagne qui lui succédait en altitude ont souvent été transformées en maquis et en garrigue par une exploitation jadis très anarchique de la ceinture forestière.

De petites localités chargées d'histoire barricadent les voies de passage tandis que des villages ruraux se cachent au fond des gorges pour vivre heureux.

La Côte Vermeille enfin, hier accablée par les menaces qui venaient de la mer, partage aujourd'hui paisiblement ses activités entre la viticulture du Banuyls et la pêche aux anchois.

Un itinéraire passant successivement par la France et l'Espagne, par la montagne et le littoral, montrera l'unité de ce secteur à travers les nuances qui diversifient ses terroirs.

Moyens d'information

Cartographie

Michelin, n° 86 et n° 43.

I.G.N. 1/100 000, n° 72.

I.G.N. 1/50 000, feuilles : Mont-Louis, Saillagouse, Prades, Prats-de-Mollo, Céret, Arles-sur-Tech, Argelès-sur-Mer, Cerbère.

Guia cartografica, Excursiones, Turismo 1/25 000, Editorial Alpina, Granollers. Fascicules : « Puigmal-Nuria », par N. Llopis-Llado et X. Coll. ; « Moixero-La Molina-La Masella », par N. Llopis-Laldo et X. Coll. ; « Taga-Serra Cavallera », par R. de Semir de Arquer.

Vignes et arbres fruitiers composent des paysages ordonnés dans la plaine du Roussillon.

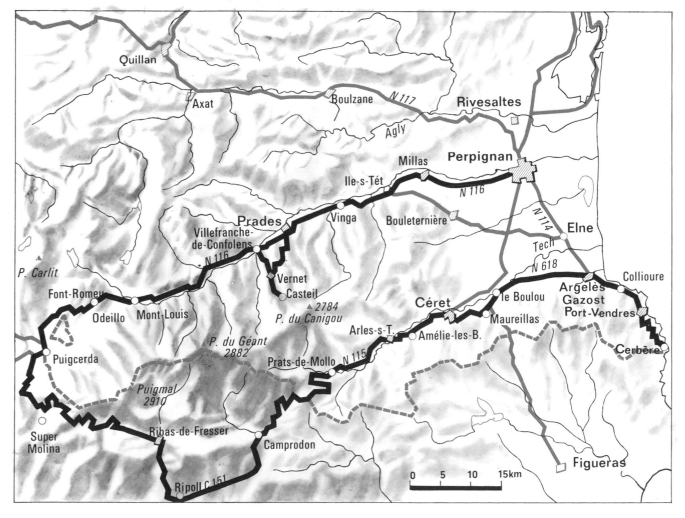

Itinéraire de Perpignan au cap Béar, par le Conflent, la Cerdagne, le Vallespir et la Côte Vermeille.

Bibliographie

Montagnes des Pyrénées, tome I, « De la Méditerranée au Costabonne », René Cayrol, Pierre Roule, André Vinas, 4e édition 1979, C.A.F., Perpignan, 21, rue de Mailly, 66000, Perpignan ; tome II, « Le Massif du Canigou », René Sol, René Cayrol, 2e édition, 1979, C.A.F., Perpignan ; tome III, « Du Pla Guilhem au Puigmal », René Sol, René Cayrol, 1975, C.A.F., Perpignan.

125 Excursions dans les Pyrénées catalanes, Jean Faure, 1979, Arles-sur-Tech.

Haute Randonnée pyrénéenne, G. Véron, 5e édition, 1979.

Pyrénées des quarante vallées, P. Minvielle, Denoël, 1980, Paris.

Por el Pirineo catalan, (« La Garrotxa y el Alto Ampurdan »), Cayetano Enriquez de Salamanca, auteur-éditeur, 1977, Madrid.

Accompagnateur en montagne

Jean-Louis Crouzet, avenue de Font-Romeu-Estavar, 66800 Saillagouse.

Vu du pont du Boulou, le mont Canigou semble être la montagne sacrée.

De Perpignan au cap Béar, par le Conflent, la Cerdagne, le Vallespir et la Côte Vermeille

Durée : 3 jours (425 km).

Capitale du Roussillon, Perpignan l'a toujours été. Pour s'en convaincre, il suffit de se promener dans la vieille ville cernée par des remparts sur les vestiges desquels veille toujours le Castillet. A l'intérieur de l'enceinte, le Palais des rois de Majorque, la cathédrale Saint-Jean,

l'hôtel de ville ou la Loge de la Mer évoquent le passé glorieux de la cité catalane. Mais ces monuments, loin d'être figés dans le souvenir d'un passé éteint, s'incluent dans la vie animée de la ville. La grandiose austérité du Palais des rois de Majorque accueille aujourd'hui des expositions ; la Loge de la Mer est devenue un café où il fait bon aller prendre un verre, le soir, assis dans un confortable fauteuil, face à un superbe décor médiéval. Au détour d'une place, une statue de femme sculptée par Maillol, l'enfant du pays, répond avec la vigoureuse sensualité de ses formes au masque désincarné du Dévôt Christ, ce chef-d'œuvre de la sculpture catalane du XIVe siècle que l'on peut contempler dans la chapelle du Christ, contiguë à la cathédrale. C'est, si l'on veut, l'or de la jeunesse côtoyant le sang de la passion comme le Roussillon alterne les bandes sang et or sur son blason. Pourpre et dorure s'imposent aussi à la ville lorsque défile la procession de la Sanch que la confrérie du Précieux Sang organise le

Le Dévôt Christ de Perpignan. Cette œuvre poignante, exposée dans la chapelle du Christ, contigüe à la cathédrale, a longtemps fait figure de chef-d'œuvre de la sculpture catalane. Aujourd'hui, on se demande s'il ne s'agit pas plutôt d'une œuvre d'origine rhénane.

Cerné par le maquis, le prieuré de Serrabonne a été construit pour christianiser ces ravins sauvages du Conflent.

151

Le cloître de Saint-Michel de Cuxa.
(Lithographie de Thierry ; Cabinet des Estampes, B.N., Paris, à gauche. Détail d'un chapiteau, à droite.)

Vendredi Saint dans les rues de Perpignan, depuis 1416. De sang et d'or enfin les notes conjointes du « fiscorn » et du « tiple », tour à tour grinçantes, graves, joyeuses ou triviales, quand ces instruments égrènent les « coblas » de quelque sardane et qu'ils déclenchent cette danse bondissante dont tout Catalan connaît les huit mesures. Partout Perpignan offre au regard du promeneur le cœur profond du Roussillon.

De Perpignan, par Ille-sur-Têt, et Bouleternère, on s'enfonce dans les gorges du Boulès où la chênaie sèche se mêle à un maquis de cistes et d'épineux, comme pour mieux masquer l'approche du prieuré de Serrabone. Serrabone, c'est le contraste entre l'ordonnance d'une architecture et le fouillis sauvage des fourrés ; le contraste aussi entre la rusticité des murs appareillés en schistes et la noblesse raffinée du marbre rose amoureusement façonné par des artistes et poli par les siècles tel que le présentent les colonnes et les chapiteaux de l'inoubliable tribune de cette église.

Afin de conserver l'acquis de cette introduction à la mystique catalane, mieux vaut continuer par la route de la montagne, vagabonder par les cols de Fourtou et de Xatard, se dessécher parmi les espaces désertiques des Aspres, ces montagnes si bien nommées où le romarin, le lavandin, le buis, la sariette et le thym accrochent leurs racines parmi les rocs nus et diffusent dans l'air leurs senteurs de baume.

On aura le temps de rejoindre ainsi la vallée de la Têt en amont de Vinça après avoir traversé de minuscules localités — Velmanya, Baillestavy et Finestret —, sur les toits desquelles on aura cherché à voir la « cu de gall », cette tuile faîtière en forme de queue de coq que les habitants de ce terroir reculé plaçaient naguère sur leur maison pour écarter les mauvais esprits.

On s'enfoncera ensuite dans les gorges du Conflent jusqu'à rencontrer les remparts qui ceinturent le vieux Prades. L'église de la ville mérite une visite à cause d'un retable baroque, chef-d'œuvre du grand sculpteur catalan du XVIIe siècle, Joseph Sunyer. Mais grâce à la venue d'un réfugié de marque, le prestigieux violoncelliste Pablo Casals, Prades connaît de nos jours un renouveau artistique avec son Festival de musique. Ce qui fut à l'origine une réunion amicale entre quelques instrumentistes virtuoses a pris aujourd'hui l'ampleur des très grandes manifestations de l'année musicale. Ainsi, chaque été, Prades accueille dans son beau cadre les interprètes contemporains les plus prestigieux de la musique classique.

Le clocher lombard de l'église de Prades a tenté le lithographe Engelmann. (Cabinet des estampes, B.N., Paris.)

On quittera Prades par la vallée du Taurinya. Le paysage où les murs de soutènement en pierre sèche, les « feixas », retiennent la terre à longueur de pente, parle de labeur et de patience paysannes. Au milieu des peupliers, Saint-Michel-de-Cuxa qui fut l'un des grands monuments du Roussillon roman dresse son clocher qui ressemble à un donjon. L'église subsiste toujours sur place et enchante par son appareillage sobre et la pureté de ses lignes intérieures. Quant au cloître, hélas, vendu, démonté pierre à pierre, il a été transporté outre-Atlantique où il figure aujourd'hui en bonne place dans le Cloister Museum de New York.

Vu de Cuxa, le sommet du Canigou fascine. Comme aimanté par lui, on grimpe au col de Millères d'où il est possible, en été, d'accéder à proximité immédiate de la cime par la scabreuse route forestière de l'Escala de l'Ours. Le terminus carrossable se situe devant le chalet-hôtel des Cortalets (alt. : 2 150 m).

Il reste à peine deux heures de marche pour conquérir la cime.

Pour le touriste qui circule dans ce secteur et qui n'a cessé de voir les contreforts de cette montagne dominer son itinéraire, il est inutile de rappeler la place qu'occupe le Canigou dans l'esprit et dans le cœur des Catalans. Le Canigou est bien le « magicien parmi les autres sommets » que décrit Rudyard Kipling. Considérée comme la « gardienne du Roussillon », cette cime, tellement plus haute que ses voisines qu'on peut la voir depuis la Provence, n'est pas loin de faire encore aujourd'hui l'objet d'une vénération de la part des habitants. Et ce n'est pas pour rien que Pierre III d'Aragon qui venait d'annexer la province du Roussillon prétendit avoir gravi seul cette olympe catalane et y avoir rencontré des dragons environnés du feu céleste.

Le haut Moyen Age se devait de parsemer les flancs de la montagne d'oratoires et de moûtiers afin d'exorciser la légende et de christianiser ces monts et merveilles. Outre Saint-Michel-de-Cuxa, ce fut le rôle assigné à l'abbaye de Saint-Martin-du-Canigou, dont le rayonnement s'exerça bien au-delà du vallon affluent de la Têt où elle fut bâtie. On ne manquera pas d'aller (à pied) visiter ce sanctuaire national des Catalans. La montée ressemble à un pèlerinage et l'on a tout le temps de mesurer le rêve de Guilfred, le puissant comte de Cerdagne, qui fonda cette abbaye en 1001, pour y finir ses jours dans la bure et le dépouillement. Bien qu'isolé, le monastère bénédictin a souffert du vandalisme mais les chapiteaux de marbre blanc du cloître supérieur portent toute la mystique médiévale à travers la lourdeur de leurs symboles.

Haut lieu du mysticisme catalan, l'abbatiale de Saint-Martin du Canigou fut fondée en 1001, par Guilfred le Velu, au pied du Canigou. Ce puissant comte de Cerdagne devait y finir ses jours dans le dépouillement monastique.

Orri en pierre sèche. Ces cabanes de bergers épousent différentes formes suivant l'époque de leur construction. Les orris cylindriques paraissent les plus anciennes, au point que les archéologues n'hésitent plus à exécuter des fouilles autour de leurs murs.

La descente vers la vallée de la Têt s'effectue au flanc de pentes traditionnellement vouées à l'élevage pastoral et le paysage se combine fort bien avec le haut lieu spirituel que l'on vient de quitter. De-ci de-là, on aperçoit une de ces cabanes de bergers édifiées en pierre sèche et qu'on nomme ici un « orri ». Depuis peu, les archéologues s'intéressent à ces architectures rustiques. Ils y distinguent plusieurs types, les uns cylindriques, d'autres voûtés, et en déduisent que ces structures pourraient nous restituer des techniques de construction directement héritées de la Préhistoire.

Après une halte dans la curieuse grotte des Canalettes (aménagée pour le tourisme) où l'on peut effectuer soit une visite touristique ordinaire, soit un safari souterrain à la façon des spéléologues, on atteint Villefranche-de-Conflent. Un dicton local veut que Ville-franche soit « en hiver, un puits de glace ; en été, un puits de chaleur ». Le fait est que le site serré entre deux murailles rocheuses n'inspire guère la douceur. Et ce ne sont ni les remparts dessinés par Vauban, ni l'histoire tumultueuse et sanglante de ce verrou stratégique qui viennent adoucir l'impression qu'engendre cette petite localité par ailleurs justement classée parmi les monuments historiques.

En amont de Villefranche, la vallée du Conflent n'est plus qu'une gorge où les chênes verts et les genêts ont du mal à couvrir un sol de gneiss, puis les grosses boules de granite du chaos de la Llagonne.

Un champ de lupins à Font-Romeu.

Page suivante. L'étrange structure du four solaire d'Odeillo sert à capter l'énergie solaire pour effectuer des recherches sur certains corps chimiques : les terres rares.

A un détour de la route, on aperçoit Mont-Louis. Petite ville de garnison, Mont-Louis se blottit au pied de sa forteresse à la Vauban qui veille depuis trois siècles sur la frontière. A l'orée de la ville commence la pinède de Bolquère, un beau massif forestier qui a été mis en réserve par l'Office national des forêts à la suite d'une décision heureuse puisqu'elle évite à cette forêt les risques de destruction consécutifs à l'aménagement des champs de ski voisins.

On pénètre ainsi dans Font-Romeu où les amateurs d'art iront tout de suite voir la chapelle à l'intérieur de laquelle un camaril, dû à Joseph Sunyer qui le commença en 1712, ressemble à une merveilleuse bonbonnière baroque. Pour tout un chacun, la position élevée de Font-Romeu (1 680-1 780 m) place cette station au-dessus de la zone des brouillards. Aussi, en dépit de l'altitude, les températures y restent-elles modérées (− 1 °C, + 14 °C) et comme, par ailleurs, les précipitations y sont assez faibles, 206 à 240 mm par an, avec un minimum en hiver, tout cela explique que Font-Romeu soit un pôle de l'ensoleillement en France, avec près de 3 000 heures de soleil par an.

Ce sont ces conditions climatiques exceptionnelles qui ont motivé l'implantation à Font-Romeu d'un lycée climatique et d'une installation préolympique. Ce sont encore elles qui ont présidé au choix du site d'Odeillo, tout à côté de Font-Romeu, pour y construire un four solaire expérimental.

Ce four solaire, visible de la route, se présente sous la forme d'un gigantesque miroir parabolique. Le but de cette installation est de produire de hautes températures par condensation d'énergie. Chaque facette du miroir est un élément d'un couple électrique. L'énergie ainsi produite est condensée sur un arc électrique capable de produire des étincelles à haute température. Ces hautes températures sont utilisées pour raffiner expérimentalement certains métaux appelés les « terres rares ». On sait en effet que, pour agir sur ces corps chimiques qui occupent la dernière ligne du tableau de Mandeleïev, il faut utiliser des températures supérieures à 2 000 °C. C'est donc

initialement pour des recherches de chimie que fut construit le four solaire. C'est à partir du même principe que sont constituées les piles solaires, génératrices d'une « énergie douce ».

Après Odeillo, la route longe le bassin de la Cerdagne, sorte de plateau oval que la France et l'Espagne se partagent et qu'une couronne de montagnes élevées isole du reste des Pyrénées. A cet isolement géographique correspond d'ailleurs un isolat botanique, riche en espèces endémiques d'un grand intérêt pour les spécialistes.

On pénètre en Espagne à Puigcerda et sans poursuivre la visite de la Cerdagne, on tournera à gauche en direction du port de Tosas. De la route qui longe les pistes de la Molina et de Super Molina, l'un des principaux complexes de ski d'Espagne, on distingue nettement les trouées pratiquées dans la couverture forestière et les crêtes arrasées au bulldozer, vastes chantiers destinés à faciliter l'évolution des skieurs au détriment de la disposition naturelle du site.

Du col, on descend par la petite station thermale de Ribas de Freser jusqu'à Ripoll où l'on atteint la vallée du rio Ter.

Pour regagner la France, il faut alors remonter la vallée du Ter par San Juan de las Abadesas (*cf.* « Itinéraire n° 10 ») et Camprodon.

Camprodon abrite derrière des remparts un lacis de pittoresques ruelles où fourmillent les artisanats de cette ville marché. Dans cette cité fortifiée s'échangent en effet les produits agricoles provenant des « mas » majestueux dont on aperçoit les façades à arcades disséminées sur les versants de cette vallée.

La trouée du Ter prolonge la vallée française du Tech avec laquelle elle forme un grand fossé tectonique et dont elle n'est séparée que par le col d'Ares.

C'est au col d'Ares que l'on regagne la France pour entamer la descente du Vallespir.

Les amateurs d'insolite feront volontiers halte dans la première bourgade du Vallespir : Prats-de-Mollo. Au printemps s'y déroule le « Ball de l'Os » (la Fête de l'Ours), une festivité dont le rite mélange la représentation totémique de l'ours aux

pratiques gaillardes des saturnales. En effet, un jeune homme vêtu de haillons figurant une fourrure d'ours joue à cache-cache avec la population et peut se permettre quelques privautés avec les filles du village tant qu'il n'a pas été, lui-même attrapé. En toute saison, l'insolite est aussi présent dans la petite église paroissiale de la localité où l'on peut voir un inattendu os de baleine sortant du mur de l'édifice.

En continuant de descendre le Vallespir, avant d'arriver à Arles-sur-Tech, on

Saint-Martin-de-Fénollars. La Galerie des Rois. Cette fresque remonte à 1160.

Prats-de-Mollo. A l'entrée de l'église, remarquez la côte de baleine que les constructeurs ont scellé dans la maçonnerie.

croise le débouché de la Fou de Corsavy. Des passerelles (entrée payante) permettent de contempler deux murailles élevées et rapprochées, formant une crevasse de pierre, au fond de laquelle coule la Fou. Ce canyon est l'un des plus impressionnants des Pyrénées.

Après Arles-sur-Tech, les versants de la vallée s'élargissent. On traverse Amélie-les-Bains-Palalda, station thermale serrée dans un méandre encaissé du Tech. Un espace libre enfin offert à l'agriculture et l'abri que les flancs de la gorge

aménagent, il n'en faut pas davantage pour encourager la culture des premiers amandiers. Mais bientôt, au fil de la descente, on voit l'arboriculture s'épanouir à la faveur d'une irrigation où les canaux conduisent l'eau du Tech au pied même des arbres. Les amandiers font alors place aux pêchers et aux abricotiers qui occupent des surfaces grandissantes à mesure que l'on approche de la grande plaine du Roussillon.

A hauteur de Céret, on abandonnera la route nationale qui file vers Perpignan. Sans passer sur le pont de Céret mais en jetant tout de même un coup d'œil à son ancêtre, le pont du Diable, ainsi dénommé par suite d'une intervention du Malin déjouée par la population lors de la construction de cette arche hardie, on traversera Céret. Puis, par Maureillas et le bel oratoire de Saint-Martin-de-Fenollar, monument historique abritant de superbes fresques romanes, on rejoindra la route qui descend du col du Perthus vers le Boulou, on tournera à gauche en direction des bains du Boulou pour prendre ensuite la route d'Argelès-sur-Mer.

Les platanes qui bordent la route, les ifs qui frangent les champs cultivés, les rigoles qui forment un réseau d'irrigation autour de ces mêmes champs caractérisent le paysage agricole roussillonnais dont la tradition remonte à deux millénaires au moins. Les roseaux y signalent de loin la proximité des « regs », ces canaux sans lesquels la plaine ne porterait pas d'aussi somptueuses cultures.

A Argelès-sur-Mer, il ne faut pas manquer d'aller voir la roue harmonique qui se trouve dans l'église paroissiale. Il s'agit d'une roue à clochettes animée par un mécanisme. Lorsque l'on déclenchait le mouvement, les clochettes tintaient et leurs sons cristallins étaient destinés à écarter les mauvaises pensées. D'Argelès-sur-Mer, on prendra la direction de Port-Vendres pour longer la Côte Vermeille. On ne tarde pas à franchir le ravin du Ravenne qui marque la limite entre la plaine du Roussillon et les basses pentes des monts Albères.

A partir de là, la route est obligée d'épouser les multiples nervures de la montagne, ce qui donne au trajet son aspect tortueux. La montagne plonge ici en abrupt dans la mer. Les plages sont rares, toujours blotties dans des criques. Du côté de la montagne, les pentes, fortes, exposent généreusement au soleil des schistes dorés et des gneiss dont les coloris confèrent son nom à cette Côte Vermeille. Il y a longtemps que le vignoble de Banyuls a conquis ces sols pierreux et la vigne ajoute encore la couleur des sarments à la symphonie rougeâtre de la roche.

Juste avant d'entrer dans Collioure, on pourra monter par une route étroite jusqu'à la batterie de la tour Madeloc. Cette tour à feu et cette position d'artillerie évoquent les temps dangereux où la venue des Barbaresques constituait la menace principale pour les habitants de cette côte. Bien entendu, la position a été choisie pour embrasser un vaste panorama et le touriste ne pourra que se réjouir de contempler les innombrables

Dans le Vallespir, on fabrique encore les espadrilles selon des techniques artisanales. Ici, l'élaboration de la semelle.

nervures du rocher plongeant dans la mer.

A Collioure, on se laissera emporter par le charme de ce port où un château des Templiers gardé par un glacis à la Vauban veille sur les deux conques du port d'Aval et du port d'Amont. L'ocre des constructions et le bleu de la mer, la fantaisie du site et la paix quotidienne de ces quais plantés de platanes ont depuis longtemps attirés les peintres qui forment ici une école spontanée devant ces flots marins où les barques à farots

A Port-Vendres, même les chaluts des pêcheurs d'anchois ont une couleur ocre pour se confondre avec les rochers.

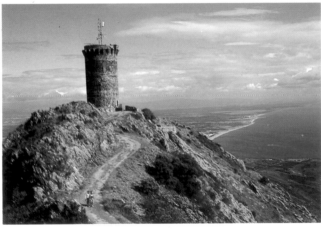

Du pied de la tour Madeloc, on peut surveiller les moindres criques de la Côte Vermeille. La vue s'étend même jusqu'au littoral languedocien.

attendent en se balançant de partir la nuit pêcher les anchois.

Entre la mer et la vigne, on gagnera ensuite Port-Vendres, l'ancien port dédié à Vénus par les commerçants grecs de l'Antiquité qui y avaient établi leur premier comptoir commercial. Des fortifications protègent sa rade, la plus profonde de cette côte.

De Port-Vendres, sans poursuivre vers Banyuls, on s'engagera sur la rocade côtière qui mène au cap Béar. De rares bosquets où les oliviers mettent une tou-

che typiquement méditerranéenne au milieu des tamaris coiffent une échine rocheuse au pied de laquelle clapotent les eaux de la mer. Ces rochers plutôt chauves marquent l'extrémité orientale des Pyrénées. Un phare et ses dépendances occupent la pointe extrême du cap et en interdisent l'accès. Néanmoins il est possible de se jucher sur un rocher au voisinage de ces constructions pour contempler cette union de la mer et de la montagne. Là, dans le calme de ce paysage à la fois rocheux et marin, on ne peut s'empêcher de songer que l'on contemple la mer antique et une montagne qui ne l'est pas moins : les Pyrénées.

Ascension du mont Canigou (2 785 m)

Point de départ : chalet-hôtel des Cortalets (2 150 m).

Durée : 3 heures, aller et retour.

Du chalet-hôtel des Cortalets, prendre le GR 10 qui se dirige vers l'ouest-sud-ouest. Le chemin très bien marqué s'enfonce sous les pins et s'élève très faiblement. Après ce tronçon forestier, on atteint la fontaine de la Perdrix.

Au milieu d'une pelouse piquée de rhododendrons, le sentier s'infléchit vers le nord-ouest pour gravir les pentes du pic Joffre. Peu avant le sommet de cette éminence, on abandonne le sentier GR 10 pour suivre un autre sentier qui atteint cette sommité secondaire.

45 mn — Sommet du pic Joffre. Se dirigeant vers le sud, suivre une piste moins bien marquée que le sentier précédent et qui épouse une crête où l'herbage se rabougrit peu à peu. La vue s'amplifie à mesure qu'on s'élève : à gauche, vers la forêt domaniale du Canigou et, plus loin, vers la chapelle Sainte-Anne-du-Serrat-Palate ; à droite, vers la forêt domaniale de Casteil et le pic de Très-Estelles.

2 h 50 mn — Sommet du mont Canigou. Croix, table d'orientation. Vue exceptionnellement étendue par temps clair. A l'aide de pellicules ultra-sensibles, il a été possible de photographier la Corse, les Cévennes et les Alpes du Sud depuis le sommet du mont Canigou.

La station de Vernet-les-Bains se blottit au pied du Canigou.

Par la ligne des crêtes, jusqu'à la découverte d'un panorama exceptionnel.

Itinéraire n° 10
Le piémont sud-pyrénéen

Présentation du secteur

L'aspect que présente le piémont sud des Pyrénées diffère de celui qu'offre le piémont nord. Au lieu d'une pente uniformément descendante, nous trouvons un double front de sierras, sierras intérieures (Turbon, Peña de Oroel, par exemple) et sierras extérieures (sierras del Cadi, de Boumort, de Guara, de Gratal), formant une cordillère qui culmine à plus de 2 000 m, et double ainsi la chaîne des Pyrénées dont elle est séparée par un fossé tectonique (plaine d'Ainsa, Jacetania, canal de Berdun). Constituées de sédiments calcaires, les sierras opposent leur barrière aux eaux qui descendent des Pyrénées et celles-ci n'ont d'autre ressource que d'y percer des gorges pour rejoindre l'Ebre qui draine finalement tout le massif.

Profitant de l'étendue du bassin de l'Èbre, l'influence méditerranéenne remonte jusqu'au col de Velate, à 80 km de l'océan Atlantique, englobant ainsi la presque totalité du piémont sud dans la zone climatique méditerranéenne. Les caractéristiques de ce climat à faible pluie et fort ensoleillement sont encore accentuées ici par des nuances continentales qui aggravent les différences thermiques. Jaca, par exemple, connaît des hivers très rigoureux et des étés torrides.

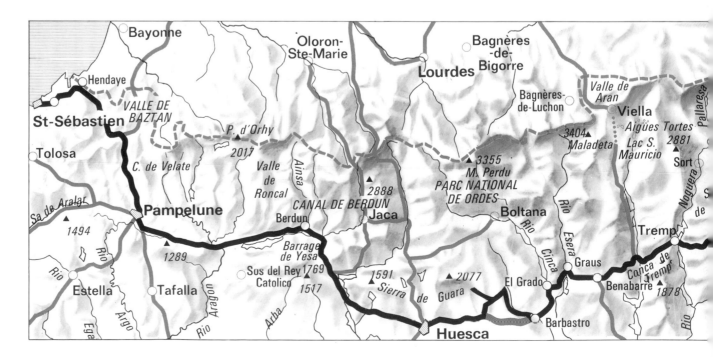

Itinéraire de Cerbère à Saint-Sébastien.

La couverture végétale se ressent de cette rudesse. La chênaie sèche méditerranéenne avec des yeuses, la pinède-sapinière et la pinède à crochet au-dessus de 1 800 m (dans la sierra del Cadi seulement) qui se succèdent selon l'étagement classique de la végétation, présentent ici un aspect dégradé, buissonnant, râpé. Les rigueurs d'un climat qui dessèche la végétation avec, parfois, des trombes d'eau qui arrachent les sols, achèvent le tapis végétal lorsqu'il est blessé par l'homme.

Or, la dégradation par l'homme remonte à des siècles par suite d'une exploitation aveugle des arbres qui est allée jusqu'à la destruction des sols forestiers dans certains secteurs. Aujourd'hui, le Patrimonio forestal del Estado a entrepris un effort considérable pour repeupler ces forêts et il n'est pas rare de côtoyer des zones où s'étalent de vastes et jeunes pinèdes. Il est vrai que ce repeuplement forestier n'est pas gêné par les activités humaines dans ces montagnes gravement frappées par l'exode rural. Ces sierras qui furent l'ancienne frontière entre le monde islamique et le monde chrétien et qui connurent de ce fait une animation économique, culturelle et guerrière intense, sont aujourd'hui des terroirs oubliés faute de vie rurale.

L'activité agricole se cantonne essentiellement, bien entendu, dans les vallées les mieux irriguées.

Mais le reste de ces sierras n'est que déserts semés d'ailleurs de monuments prestigieux mais que l'abandon livre peu à peu aux herbes folles.

Aux deux extrémités de ce piémont enfin, l'îlot catalan et l'îlot basque créent une animation industrielle mais qu'agitent souvent des passions politiques fondées sur le particularisme de ces deux populations séduites par des perspectives autonomistes.

Moyens d'information

Cartographie

Michelin, n° 42 et n° 43.

Guia cartografica - Excursiones - Turismo : 1/25 000, Editorial Alpina, Granollers : 20 fascicules : « Garrotxa », « Ribagorça », etc.

Bibliographie

Por el Pirineo catalan-Valle de Aran y parque nacional de Aigues Tortes, par Cayetano Enriquez de Salamanca, auteur-éditeur, Madrid.

Por el Pirineo catalan-El Pallars, el alto Urgel y Andorra, par Cayetano Enriquez de Salamanca, auteur-éditeur, Madrid.

Los cañones de la sierra de Guara, par Pierre Minvielle, éditions Cayetano Enriquez de Salamanca, Madrid.

A la découverte de la sierra de Guara, par Pierre Minvielle, Éd. Marrimpouey, 1974, Pau.

A la découverte du haut Aragon, par le Dr C. Sarthou, Éd. Marrimpouey, 1973, Pau.

Por el Pirineo aragones-Rutas de la Jacetania, par Cayetano Enriquez de Salamanca, auteur-éditeur, Madrid.

Por el Pirineo aragones-Rutas del Sobrarbe y la Ribagorza, par Cayetano Enriquez de Salamanca, Madrid.

El Pirineo espanol, par Violent y Simorra Editorial Plus Ultra, 1949, Madrid.

Les Pyrénées des quarante vallées, par Pierre Minvielle, Denoël, 1980, Paris.

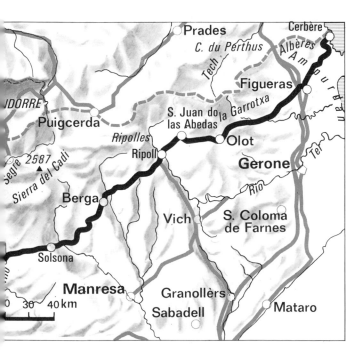

Pages suivantes. Dans la plaine de Jaca, les villages agricoles s'éparpillent au milieu des champs de blé. Mais attention à l'orage, car les nuages s'accumulent derrière la sierra de Gratal.

De Cerbère à Saint-Sébastien

Durée : 4 jours (730 km).

Cet itinéraire relie les Pyrénées méditerranéennes aux Pyrénées atlantiques par leur versant espagnol. Passant des rives de la Mare Nostrum à celles de l'océan des Basques, allant des olivettes bordées de cyprès aux fougeraies piquetées par des bosquets de rouvres, il circule au pied des crêtes frontalières sans y pénétrer vraiment et s'enfonce plutôt dans la double rangée des sierras intérieures et des sierras extérieures qui bordent les Pyrénées d'une frange méridionale, âpre, insolite et superbe.

A leur extrémité orientale, les Pyrénées espagnoles naissent des eaux bleues de la mer, s'érigent en caps — cap Cerbère, cap Falco —, se dressent en arête jusqu'au col de Belitre, puis montent au pic Neulos en une nervure baptisée les monts Albères avant de se prolonger vers l'ouest au-delà du col du Perthus, pour former un amphithéâtre de cimes qui semble protéger la plaine de l'Ampurdan et la retrancher du monde. Ici, il y a deux mille ans s'élevait déjà la riche cité d'Ampurias qui a donné son nom à l'Ampurdan. Ici subsistent aujourd'hui un réseau d'irrigation créé par les Latins, un paysage de latifundia, un fleuve qui s'appelle Fluvia, sans parler de la touche toscane des cyprès, bref une contrée qui n'en finit pas d'oublier la domination de Rome. D'ailleurs au nord de Figueras, le col du Perthus a vu passer les éléphants d'Hannibal en marche vers le Latium, comme il a vu défiler en sens inverse toutes les invasions qui pénétraient dans le cul-de-sac ibérique.

Ce sont ces multiples influences qui ont marqué l'âme catalane de leur dynamisme, ont individualisé cette culture et façonné cette langue qui fondent ce particularisme auquel les Catalans sont aujourd'hui si attachés.

Après l'Ampurdan, la Garrotxa, cette Catalogne intérieure, montagnarde, comme auvergnate, qu'un volcanisme encore en activité dans la région d'Olot, colore de son mystère et enrichit de ces paysages pittoresques. Il faut y voir Cas-

Les toits de Cerbère. La Méditerranée n'est pas loin.

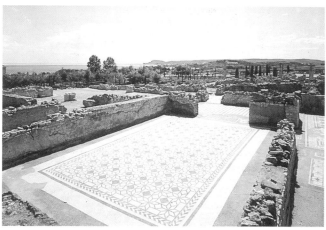

Dans l'Ampurdan, les Romains ont laissé de nombreuses traces de leur domination. Par exemple cette mosaïque exhumée des fouilles d'Ampurias.

Sur le fronton de la cathédrale de Ripoll s'alignent des médaillons représentant les petits métiers d'autrefois comme les porteurs de gerbe ou le cercleur de tonneau.

tellfullit de la Roca, village médiéval ceinturé d'un rempart qui prolonge la falaise de la « mesa » de basalte sur laquelle est perché ce bourg imprenable. Lorsqu'on traverse les belles chênaies qui poussent sur ces planèzes aux sols généreux, on comprend que l'élevage des porcs domine l'économie de ces mas majestueux disséminés dans ces collines et que, le dynamisme catalan aidant, les charcuteries locales soient devenues une sorte d'image de marque à la gloire de toute cette contrée paysanne.

En Garrotxa, la marqueterie des paysages est si diversifiée qu'on quitte ce pays sans s'en apercevoir pour pénétrer dans le Ripollès où l'on entre vraiment dans les montagnes.

Une multitude de crêtes et de versants abrupts y enferment les trois bassins de Ripoll, de San Juan de las Abadesas et de Campdevanol. L'église romane de San Juan et surtout le splendide monastère de Ripoll témoignent d'une vénérable tradition dans cette contrée. La construction du monastère de Ripoll n'a pas duré moins de dix siècles, juxtaposant un cloître roman à double galerie aux cinq nefs en berceau de la cathédrale Santa Maria, gardée par une puissante tour carrée et précédée d'un somptueux portail d'un roman final, couvert de personnages et de scènes bibliques. Si l'ensemble s'inscrit parmi les merveilles de l'architecture catalane d'autrefois, aujourd'hui Ripoll, comme San Juan et comme Campdevanol, est devenu le siège d'une active industrie. Les fumées de ses fabriques d'armes et de ses usines textiles ont même fortement attaqué le fameux portail de Santa Maria, au point qu'il a fallu dresser devant les sculptures une vitrine à l'échelle du monument, surface protectrice certes, mais dont l'effet surprend le touriste. Le reste du Ripollès n'est que gorges profondes, montagnes abruptes, garrigues inextricables, un vrai repère de coupe-jarrets et l'on ne s'étonnera pas que ce pays ait servi de refuge aux bandes de Miquelets qui terrifièrent les deux versants des Pyrénées au XVIIIe siècle.

Chargé d'avoine, la mule de Florentino Moncasi, à Rodellar, arbore un superbe harnais.

En Catalogne et en Aragon, le grenier ouvert à tout vent pour rafraîchir la maison sert aussi de séchoir où s'entassent les récoltes.

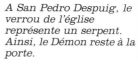

A San Pedro Despuig, le verrou de l'église représente un serpent. Ainsi, le Démon reste à la porte.

167

Gerri de la Sal étale ses marais salants en pleine montagne.

D'autres secteurs également inhospitaliers attendent le voyageur qui veut aller du Ripollès au Pallars. Il doit d'abord se faufiler entre les espaces lunaires de la sierra del Cadi et les pinèdes sans fin du Cardoner d'où pointe l'étrange gemme qu'est la montagne de sel de Cardona, étincellante sous le soleil. Alentour le territoire est tellement désolé que le ministère espagnol de l'Agriculture envisage sérieusement d'y réintroduire des loups. Puis on enjambe le fossé du Sègre et l'on traverse de nouveaux déserts, ceux de la sierra de Boumort où les amateurs de solitude seront comblés. Les autres déboucheront sur la vallée de la Noguera Pallaresa comme sur un oasis.

La langue espagnole a l'adjectif « caudaloso » pour décrire un débit tumultueux comme celui de ce torrent de montagne descendu de l'un des plus beaux coins des Pyrénées, le massif d'Aïgues Tortes. Là-haut, de vieux granites façonnés par le rabot glaciaire conservent les mille lacs du Béciberri dans de minuscules cuvettes aux rives ombragées de pins à crochet et fleuries de rhododendrons. Au cœur de ce massif où se marient si harmonieusement les pierres rugueuses et les eaux lisses, la nappe émeraude du lac de San Mauricio règne en souveraine au pied des falaises du pic des Encantats. Une légende locale veut voir dans ces clochetons de granite des géants pétrifiés, enchantés (« encantats ») par quelque maléfice. En 1956, l'État espagnol a mis cette montagne en parc national d'Aïgues Tortes et du lac de San Mauricio.

Forte de ces eaux nées des montagnes, la Noguera Pallaresa, en aval de Sort et jusqu'à la plaine de Tremp, s'enfonce dans un chapelet de gorges, clue de Sort et défilé des Collegats, que sépare l'étrange bassin de Gerri. Là, dans un décor de falaises pourpres et d'éperons rocheux, s'étale soudain la géométrie inattendue de marais salants. Ils sont alimentés par une source riche en sel gemme dont les eaux conduites par des canaux de bois rutilent sous le soleil de Catalogne, veillées par l'église rustique au clocher ajouré de Gerri de la Sal. En aval des défilés, la « conca » de Tremp,

riche plaine à blé et porte de la montagne, s'enorgueillit de conserver dans les villages de Covet et d'Orcau des monuments romans dont les chapiteaux et les fresques comptent parmi les trésors de l'art catalan.

Ces confins de la Catalogne et de l'Aragon connurent en effet un âge d'or aux XIᵉ et XIIᵉ siècles. Au nord de Benabarre, le modeste village de Roda, dans la vallée perdue d'Isabeña, fut le siège épiscopal de saint Raymond, évêque, conseiller du

Le Segre se faufile à grand'peine dans la garganta de Organa.

*Dressés à
l'entrée du barranco de
Mascun, la Citadelle et le
Cierge annoncent
d'emblée un décor
fantastique. Le nom de
Mascun vient d'ailleurs
d'un mot arabe qui
signifie « Demeure des
Sorcières ».
C'est tout dire !*

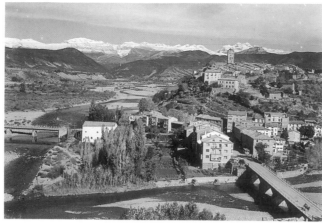

pape Grégoire VII, ami des arts, qui fit venir des fresquistes de la lointaine Lombardie pour orner les petites chapelles disséminées dans ces montagnes pieuses.

Autres temps, autres préoccupations ; de nos jours, les grands ouvrages des hommes sont ces gigantesques barrages qui coupent le cours des Nogueras Pallaresa et Ribagorzana et font de ces deux vallées un Tennessee espagnol. Sur les hauteurs environnantes le reboisement s'intensifie. Pas une de ces sommités arrondies qui ne soit plaquée par la tache sombre d'une pinède nouvellement créée ou, au moins, striée par des terrasses tracées au bulldozer et destinées à des plantations. A l'aridité de ces sols pelés succède une présence forestière réconfortante mais trompeuse, car ces sierras, même reboisées, n'en demeurent pas moins des déserts. Au-dessus de leurs rotondités, on aperçoit de temps à autre, les éminences plus nobles des sierras intérieures, le gros pâté du Turbon ou la muraille interminable de la peña Montañesa, précédant le Cotiella couleur de cendre où le comte Russell voulait voir « une montagne de la Lune ».

Graus et El Grado sont les deux premiers bourgs importants que l'on rencontre en pénétrant en Aragon. Leur étymologie est la même ; Graus comme Grado vient du latin *Gradus,* qui signifie « ressaut ». Cette étymologie commune traduit une identique situation. Graus sur le rio Esera et El Grado sur le rio Cinca commandent deux clues où les rivières respectives franchissent les calcaires des sierras extérieures. De puissants barrages hydro-électriques mettent à profit ces dispositions favorables et retiennent l'eau descendue des monts Maudits et du Posets par l'Esera ou du massif du mont Perdu par la Cinca. Le barrage sur l'Esera porte le nom de Joaquin Costa, homme politique local qui préconisait l'irrigation des terres agricoles dès la fin du XIXe siècle et dont on peut regretter qu'il n'ait pas été plus écouté.

El Grado marque aussi la frontière méridionale du Sobrarbe, ce royaume montagnard de chrétiens irréductibles qui vit aux Xe et XIe siècles partir la reconquête de l'Espagne, amorcée par de petits souverains aragonais, Ramiro Ier et Sancho Ramirez, que la puissance arabe n'effrayait pas. Endormi sous les platanes de ses « ramblas », Barbastro, gros marché agricole planté sur les rives du Vero, tient lieu de capitale à toute une partie des sierras extérieures. Par-dessus ses toits de tuile ocre sur lesquels veille le campanile de la vieille cathédrale, on aperçoit la ligne bleue des sierras, qui file interminablement vers l'ouest : sierras de Sivil, de Guara, de Gratal, de Santo Domingo et jusqu'au Pays basque, en un front apparemment continu mais où se dissimulent les canyons les plus étranges de l'Europe.

Au débouché des gorges du Vero, l'érosion a isolé un éperon sur lequel s'élève Alquezar. Après les Romains, après les Wisigoths, les conquérants de l'Islam qui venaient de s'emparer de la péninsule élevèrent sur ce site propice un château (Al-ksar) face au royaume chrétien de Sobrarbe. Pris par Sancho Ramirez en 1099, le château arabe reçut une église et un cloître. Aujourd'hui encore, ces remparts musulmans abritent de magnifiques chapiteaux romans, une église baroque et un superbe Christ du XIVe siècle. Il faut aller à Alquezar se perdre dans ses ruelles pavées, déboucher sur sa place à arcades, monter les degrés séculaires qui mènent au château, puis, du haut d'un « ajimez » contempler le troupeau des toits plats du village emprisonnés par les précipices au fond desquels roule le Vero et goûter le vol des hirondelles et l'odeur des figuiers qui embaume la brise quand tombe le soir aux couleurs mauves.

Depuis cinquante ans, la population déserte les sols ingrats des sierras environnantes. Aujourd'hui, il n'y a plus âme qui vive dans ces garrigues où poussent le thym, la lavande, le safran et le buis, où le genêt épineux annexe peu à peu les murettes de pierre sèche élevées jadis par les hommes pour retenir la terre arable. L'agriculture se cantonne maintenant au fond des vallons où les derniers laboureurs disputent la récolte de céréales aux sangliers qui pullulent.

Dans ces maisons paysannes, la vie reste figée, mais le vin du pays offert au « porron » témoigne que la légendaire hospitalité aragonaise demeure toujours vivace.

L'un de ces bouts-du-monde, le village de Rodellar, sert de base à toute excursion au canyon de Mascun dans le secret duquel le touriste a rendez-vous avec un décor pour sorcière fait de grottes, de ponts naturels et de monolithes géants.

Dans cette contrée sans demi-mesure, les constructions des hommes ne peuvent être que des gourbis ou des châteaux. Le château fort de monte Aragon dont l'énormité s'harmonise avec ses voisines, les falaises du Salto de Roldan, fut érigé par le roi Sancho Ramirez pour surveiller la ville de Huesca qu'il ambitionnait d'arracher aux Arabes. Aujourd'hui, Huesca est une modeste capitale de province que les touristes traversent sans s'arrêter et ils ont tort car la vieille ville serrée autour de sa cathédrale gothique et de son musée, offre un lacis de ruelles pittoresques où fourmillent les petits métiers et les tavernes où l'on peut

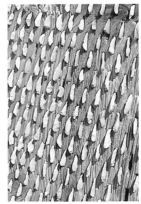

Dans la sierra de Guara, on utilise encore le « trillo » pour séparer le grain de la balle. Ce lourd traîneau à la semelle hérissée de silex tranchants perpétue le tribulum que Virgile évoquait dans « les Géorgiques ».

Pour aller de Huesca à Pampelune, la route la plus commode et la voie ferrée traversent les sierras extérieures à Riglos et l'on ne peut que s'en féliciter car c'est là justement que les poudingues éocènes composent un inoubliable décor : les Mallos. Au détour de la route surgissent soudain deux tours naturelles, verticales, rigoureusement à pic, qui s'élancent à plusieurs centaines de mètres vers le ciel. Le village de Riglos se blottit au pied de l'un de ces deux monolithes et l'aspect minuscule de ces murs blancs tranchant sur la muraille pourpre la fait paraître plus haute encore. Les vautours qui nichent au flanc de ces précipices voient depuis peu ces parois imprenables transformées en terrain de jeu par les alpinistes et il ne se passe pas de jour, l'été, où ces surplombs ne retentissent au encore apprécier la vraie gastronomie aragonaise, côtelettes grillées, salades parfumées, jambon, le tout arrosé par l'admirable Somontano, le vin épais, presque noir, très corsé que produit ce terroir.

Ci-contre. Les Mallos de Riglos composent un inoubliable décor au-dessus du rio Gallego. En 1929, la Compagnie de chemin de fer de Canfranc avait choisi ce paysage pour faire sa publicité (ci-dessus). Coll. P. Minvielle. A droite. Dans le barranco de Mascun, les monolithes se comptent par dizaines.

Visite du barranco de Mascun

Point de départ : village de Rodellar.
Durée : 4 heures, aller et retour.

Dans le village de Rodellar, prendre le chemin qui descend au hameau de la Honguera puis remonte à un col signalé par un panneau mentionnant « Barranco de Mascun ». Descendre par des lacets dans un canyon dont on domine les méandres. En face de soi, un éperon rocheux est percé de fenêtres naturelles.

30 mn — Parvenu au bas de la pente, traverser à gué le torrent, suivre le chemin qui se prolonge sur l'autre rive. On passe devant la Fuente Mascun, grosse résurgence d'où naît le torrent. Au-dessus, les rochers de la rive opposée forment deux arcades très spectaculaires.

Suivre le lit asséché du torrent, puis l'axe du ravin en profitant de tronçons de sentiers qui coupent à travers les buis et les prairies. Magnifiques perspectives de falaises et d'aiguilles. En face, rive droite orographique, « la Citadelle », colossal éperon ruiniforme, est précédée

par un monolithe particulièrement élancé : le « Cierge ».

45 mn — Au pied de la Citadelle, un bloc sphérique, « La Bola », est posé sur la rive gauche et précède un pan rocheux ajouré et découpé en forme de soulier renversé : « el Zapato ».

Après un méandre, le canyon est oblitéré par une nappe d'eau profonde. Pour contourner l'obstacle, grimper rive gauche le long d'une dalle jusqu'à atteindre un sentier en corniche qui contourne un éperon ; puis, descendre par une cheminée plantée de buis pour regagner le niveau du torrent. Traverser le lit de ce torrent. Il faut aussitôt contourner par une corniche en rive droite une deuxième nappe d'eau. Au-dessus, paroi rougeâtre, creusée d'anfractuosités.

1 h 10 mn — Un chaos de blocs énormes encombre le fond de la gorge. Remarquer sur la rive droite une source (parfois asséchée) située devant l'entrée d'une grotte. Il faut escalader la paroi rocheuse juste à côté de la source pour rejoindre le sentier qui grimpe très raide jusqu'au sommet d'un nouvel éperon,

puis descend sur l'autre versant de cette nervure.

On progresse le long d'une prairie cernée de parois surplombantes formant des aiguilles très aériennes.

1 h 30 mn — A l'amont de la prairie, les deux parois de la gorge se rejoignent pour former un pont naturel, « el Puntarron », dont la clef est une dalle mobile.

Au-delà de ce pont naturel, le canyon devient une crevasse sombre, coupée de bassins d'eau parfois profonde. On traversera la première vasque, à gué, en longeant sa rive droite. La seconde exige un pas d'escalade, toujours en rive droite, juste au-dessus de l'eau, pour contourner l'obstacle. On déambule ensuite le long d'une large avenue rocheuse dominée par de multiples aiguilles.

2 h 10 mn — On parvient à la « Grieta », crevasse en coup de sabre d'où le rio arrive des profondeurs du plateau. En amont, la progression exigeant des escalades qui dépassent largement le cadre de la simple randonnée, la Grieta marque le terme de cette excursion.

Une fois arrivé au bord du canyon, à vous de partir à la découverte des cheminées, surplombs, ponts naturels et crevasses. Vous n'y parviendrez pas sans faire un peu d'escalade !

Les cimetières du haut Aragon alignent les tombes le long d'un mur.

Les pèlerins qui allaient vers Saint-Jacques de Compostelle trouvaient un gîte d'étape au monastère de Leyre.

Aux fêtes de San Firmin, les habitants de Pampelune promènent les Géants, proches parents des personnages de la Chanson de Roland.

cliquetis des marteaux, des pitons et des étriers qu'utilisent les champions de l'escalade artificielle.

La route de Riglos débouche dans le canal de Berdun à hauteur de Puente la Reina. Le long fossé que l'on appelle canal de Berdun prolonge vers l'ouest la plaine de Jaca, séparant les sierras extérieures des Pyrénées proprement dites. Des terrasses alluviales en tapissent le fond que des torrents descendus de la montagne découpent en polygones dorés par les cultures ou assombries par les labours. Des bornes témoins, couronnées de petits villages (Berdun, Tiermas, etc.) jalonnent le canal de leur touche que l'on dirait empruntée à quelque paysage éthiopien. Coupée par le barrage de Yesa, la partie ouest du canal, maintenant envahie par les eaux de la retenue, forme un lac intérieur, long de 12 km, que les Navarrais baptisent non sans fierté la « Mer des Pyrénées ». Si le fond du canal a été sacrifié aux besoins modernes, ses parements restent à l'histoire. Au Midi, Sos del Rey Catolico, berceau du roi Ferdinand le Catholique, revit un temps de gloire, à Carnaval, lorsque ses monuments se parent de brocards et d'oriflammes tandis que des « têtes » monstrueuses défilent dans les rues. Plus au sud, des collines pelées, les Bardenas Reales, accueillent chaque hiver les troupeaux navarrais de brebis en vertu d'une charte octroyée par le roi de Navarre, au XIIIe siècle. Au nord du canal, l'antique monastère de Leyre nous rappelle le temps où ce moûtier servait d'étape aux pèlerins à la coquille marchant par le « camino real » en direction de Saint-Jacques-de-Compostelle.

L'air froid s'est toujours accumulé dans les bas-fonds du canal de Berdun. Mais l'humidité procurée par la retenue de Yesa y a ajouté des brouillards qui longent l'hiver les falaises calcaires de la rive nord. Trois torrents percent aussi cette barre calcaire de clues brèves mais pittoresques : la hoz de Biniès, la hoz de Arbayun et la hoz de Lumbier. En amont de ces défilés se cachent des vallées secrètes. Et la vie qu'on y mène en lisière d'immenses forêts de conifères semble figer le temps. Ainsi, par exemple, dans le village d'Ochagavia, le jour de la fête, les danseurs portent un costume blanc et noir à deux visages travestis où les ethnologues voient la survivance d'un rite religieux venu tout droit de la protohistoire.

Pampelune, capitale de cette Navarre plus accidentée que vraiment montagneuse, n'est plus la petite ville de jadis qu'éveillaient seulement les fêtes de San Firmin, lorsque la jeunesse locale courait à perdre haleine devant les taureaux de combat lâchés en liberté dans les rues à l'occasion du spectaculaire « encierro ». En cinquante ans, la population de Pampelune est passée de 30 000 habitants à près de 200 000. Mais cette métropole industrielle reste un peu étrangère aux collines verdoyantes qui l'environnent. Partout, alentour, la montagne se couvre de hêtraies et de fougeraies. Sur les pentes, un habitat dispersé sème des « caserios » au toit plat, à plan carré, vastes et nobles demeures agricoles dont la façade s'orne en général d'un superbe blason.

A mesure qu'on s'avance vers l'ouest, les montagnes se font de plus en plus vertes. Des ruisseaux bordés de noisetiers chantent dans des vallons couverts de prairies où paissent des troupeaux. Dans la vallée du Baztan, le lait des brebis permet même de fabriquer le « Roquefort espagnol ».

Le col de Velate, non loin duquel on commence d'apercevoir l'Océan, partage les eaux qui vont à l'Atlantique tout proche et à la Méditerranée par l'intermédiaire du réseau de l'Èbre qui draine ainsi les Pyrénées du sud dans leur quasi-totalité. Il n'y a plus qu'à suivre la vallée de la Bidassoa pour descendre les dernières pentes des Pyrénées. Maintenant les montagnes sont aussi vertes... et presque aussi humides que cet océan basque qui les baigne. Et bientôt sur ses rives armées de promontoires s'ouvre la « Concha », la crique circulaire comme une conche au bord de laquelle est bâti le port de Saint-Sébastien, terme de cet itinéraire.

Verrouillée par le monte Igueldo et le monte Ulla, la baie de Saint-Sébastien épouse une forme circulaire. Cette courbure lui a valu son surnom. Les Basques l'appellent la Concha, la Coquille.

175

L'exode rural sévit au cœur des Pyrénées. La forêt reconquiert les villages abandonnés par l'homme.

Troisième partie

RENSEIGNEMENTS PRATIQUES

Perdue au milieu des prés, cette « etché » du Guipuzcoa, flanquée de trois meules de fougères, est assez vaste pour abriter tous les membres d'une nombreuse famille et leur bétail.

177

Informations
sur l'environnement pyrénéen

Organismes régionaux de tourisme

On pourra obtenir des renseignements touristiques sur les Pyrénées aux adresses suivantes :

• **Paris** : Maison des Pyrénées, 24, rue du 4-Septembre, 75002 Paris, tél. : 742.21.34.

• **Toulouse** : Secrétariat d'État au tourisme, antenne régionale Midi-Pyrénées, 10, rue de la Pleau, 31000 Toulouse, tél. : (61) 52.26.59.
Comité régional du tourisme Midi-Pyrénées, 65, rue du Taur, 31000 Toulouse, tél. : (61) 21.41.54 et 21.88.00.
Union départementale des syndicats d'initiative, Donjon du Capitole, 31000 Toulouse, tél. : (61) 23.32.00.
Maison du tourisme et du développement rural, 37 *bis,* rue Roquelaine, 31000 Toulouse, tél. : (62) 62.99.12.

• **Bordeaux** : Comité régional du tourisme d'Aquitaine, 24, rue de Tourny, 33000 Bordeaux, tél. : (56) 44.48.02.

• **Montpellier** : Comité régional du tourisme Languedoc-Roussillon, 12, rue Foch, 34000 Montpellier, tél. : (67) 72.13.95 et 72.15.62.

• **Pau** : Comité départemental du tourisme, Préfecture, 64000 Pau, tél. : (59) 32.84.32.

• **Tarbes** : Comité départemental du tourisme, 6, rue Eugène-Ténot, 65000 Tarbes, tél. : (62) 93.14.23.

• **Foix** : Comité départemental du tourisme, Préfecture, 09000 Foix, tél. : (62) 65.04.20, poste 427.

• **Carcassonne** : Comité départemental du tourisme, 14, rue du 4-Septembre, 11012 Carcassonne, tél. : (68) 47.83.11.

• **Perpignan** : Régie départementale du tourisme, Palais consulaire, quai De-Lattre-de-Tassigny, 66005 Perpignan, tél. : (68) 34.29.94 et 34.29.95.

Ainsi que dans tous les syndicats d'initiative et offices du tourisme des principales villes pyrénéennes.

Parc national des Pyrénées occidentales (Pyrénées-Atlantiques, Hautes-Pyrénées)

Le siège social : P.N.P.O., 39, route de Pau, B.P. 300, 65013 Tarbes-Ibos, tél. : (62) 93.30.60. Le parc national est un établissement public créé en 1967. La zone centrale a une superficie de 48 000 hectares. Elle est appuyée à la frontière espagnole sur 80 km. Elle s'étend du pic Lariste (haute vallée d'Aspe) au Port-Vieux de Barroude (haute vallée d'Aure). C'est un parc de montagne : altitude entre 1 100 m et 3 298 m. La zone périphérique s'étend sur une superficie de 206 000 hectares et comprend 34 000 habitants.

Les buts du parc national :
— Dans la zone centrale : conserver les sites, la faune, la flore et les équilibres naturels.
— Dans la zone périphérique : être un élément de rénovation de l'économie locale.
— Dans l'ensemble du parc, mais plus spécialement dans la zone centrale : mettre la montagne à la portée de tous.

Les dominantes :
— Nombreux sites intéressants : pic du Midi d'Ossau, Artouste, Vignemale, pont d'Espagne, cirque de Gavarnie, cirque de Troumouse.
— Nombreux lacs et torrents : plus de cent lacs de montagne et notamment les lacs d'Ayous, de Gaube, cascades de Lutour, du Cerisey, de Gavarnie.
— Faune remarquable : ours, isard, desman, grands rapaces, coq de bruyère, lagopède, nombreux insectes (papillons, coléoptères).
— Flore intéressante : nombreuses espèces endémiques et espèces relictes.

Panneau indicatif du parc national des Pyrénées occidentales en vallée d'Aspe.

Parc national de la haute Ariège

En projet. Il englobera les massifs d'Orlu et du Carlit.

Parc national espagnol d'Ordesa

Créé dès 1918 par le gouvernement espagnol, le parc national d'Ordesa, situé en Aragon, au pied du mont Perdu, a une superficie de 2 046 hectares. Son périmètre correspond à la vallée du rio Arazas, un canyon bordé de formidables parois verticales entrecoupées de corniches boisées par des forêts de sapin.

Le fronton rocheux du Tozal del Mallo, le cirque du Cotatuero barré par une cascade, la cascade hélicoïdale de l'Estrecho et les magnifiques Grados où le rio tombe par des gradins aux formes géométriques, constituent les principaux sites de ce parc qui abrite en outre une flore et une faune rares, notamment les derniers bouquetins des Pyrénées.

Parc national espagnol d'Aïgues Tortes et du lac de San Mauricio

Créé en 1955, le parc national d'Aïgues Tortes et du lac de San Mauricio a une superficie de 10 500 hectares. Situé en Catalogne, dans la partie orientale de la sierra de Montarto, il protège les curieux ensembles lacustres du massif du Béciberri et le site particulièrement harmonieux du lac de San Mauricio dominé par la pyramide rocheuse du pic des Encantats.

Réserve du Néouvielle (Hautes-Pyrénées)

Jouxtant à l'est la zone centrale du parc national des Pyrénées, elle a été créée en 1935 par des initiatives privées. Sa superficie de 2 313 hectares correspond à la haute vallée d'Aure, entre le vallon de l'Estibère et le pied du pic de Néouvielle. Son statut est celui d'une réserve à but défini : préservation de la géologie, de la botanique et de la zoologie.

Les principaux centres d'intérêt sont les nombreux lacs et tourbières, la pinède de pin à crochet, dans cette zone de montagne à luminosité élevée.

Centre de recherche de la réserve : Laboratoire d'Orédon, 65520 Vieille-Aure.

Réserve du Carlit (Pyrénées-Orientales)

Elle est établie sur les flancs du pic Carlit, à l'ouest de Font-Romeu. Ses 6 000 hectares sont répartis sur la zone de pin à crochet et la pelouse alpine.

C'est une réserve nationale cynégétique visant la protection de la faune et notamment de l'isard et du mouflon de Corse (introduit).

Un isard surpris sur un pâturage.

Réserve du mont Valier (Ariège)

Cette réserve est établie sur les flancs du mont Valier, entre la haute vallée de Bethmale et la cime du mont Valier. C'est une réserve nationale cynégétique visant la protection de l'isard et du coq de bruyère. Elle est couverte de hêtraie-sapinière, parcourue par de nombreux torrents à truite et on y rencontre la pelouse alpine.

Réserve naturelle espagnole de l'Anayette

Ancienne réserve de chasse du roi d'Espagne Alphonse XIII, la réserve cynégétique de l'Anayette adosse son territoire le long de la frontière franco-espagnole, au fond de la vallée de Broto. Mitoyenne du parc national français des Pyrénées occidentales, la réserve de l'Anayette constitue avec lui un vaste territoire où la faune de montagne est protégée. Son rôle a été important dans la survie des isards.

Météorologie nationale

Au Centre automatique de renseignement, un répondeur automatique donne deux bulletins par jour.
— Pyrénées-Atlantiques : (59) 27.50.50
— Hautes-Pyrénées : (62) 96.28.28.
— Haute-Garonne : (62) 71.02.76 (prévisions courtes).
— Ariège : (61) 66.28.22.
— Aude : (68) 25.10.58.
— Pyrénées-Orientales : (68) 61.43.89.

Informations sur la randonnée dans les Pyrénées

Organismes et associations

— *Association des amis du parc national des Pyrénées*
20, rue Samonzet, 64000 Pau.

L'association organise des sorties guidées (voir associations pour la défense de l'environnement) et des randonnées. Ces activités s'adressent aux adhérents de l'association à jour de cotisation. L'organisateur de la sortie est en mesure de délivrer une carte d'adhérent au départ même de la sortie.

— *Accompagnateurs en montagne*
Répartis sur toute la chaîne des Pyrénées, les accompagnateurs en montagne organisent des sorties de randonnée d'une durée d'un ou plusieurs jours.

Les renseignements peuvent être demandés à :
• Jean-Michel Arizon, 65120 Luz-Saint-Sauveur, tél. : 97.83.36.
• Serge Pujo Menjouet, 65200 Sainte-Marie-de-Campan.
• Gérard Caubet, 2, impasse de la Fontaine, 65320 Bordères-sur-Echez, tél. : 93.93.40.
• Syndicat d'initiative du Biros-Sentein, 09800 Castillon-en-Couserans, tél. : (61) 66.73.92.
• Barthélémy Couret, La Tignerie, 31440 Saint-Béat, tél. : (61) 79.42.26.
• Jean-Louis Crouzet, avenue de Font-Romeu-Estavar, 66800 Saillagouse.
• Bureau des accompagnateurs, 10, rue du Coustou, 09110 Ax-les-Thermes, tél. : (61) 64.21.77.

— *La randonnée pyrénéenne*
4, rue de Villefranche, 09200 Saint-Girons, tél. : (61) 66.02.19.

Créée en 1976, l'association, La Randonnée pyrénéenne, a lancé avec l'aide de l'État, des départements pyrénéens et des propriétaires intéressés, un programme d'installation de refuges, abris et gîtes d'étape destinés aux randonneurs.

Cette association s'efforce en outre de contribuer à la sauvegarde du patrimoine que constituent les maisons traditionnelles des Pyrénées.

La Randonnée pyrénéenne balise des itinéraires en circuit dans les vallées de la chaîne.

— « *Hébergement en montagne* »
Cette brochure annuelle publiée par l'association de la Randonnée pyrénéenne propose un dépliant dressant la liste des refuges et gîtes d'étape.

Elle est en vente au Service de documentation touristique du Touring Club de France, 65, avenue de la Grande-Armée, 75782 Paris Cedex 16.

— *Cartes de l'Institut géographique national*
Ce sont des cartes touristiques à l'échelle de 1/100 000, cartes pliantes avec surimpression d'itinéraires pédestres.

On trouvera la carte de Cerdagne-Capcir au 1/50 000 et celles du Parc national des Pyrénées (4 cartes au 1/25 000).

Description des itinéraires

De la marche de quelques heures à l'excursion de plusieurs jours, les Pyrénées constituent un paradis pour le randonneur. L'amateur de pleine nature y trouvera des centaines de kilomètres d'itinéraires dont la difficulté varie du sentier facile et bien balisé au cheminement montagnard de la haute randonnée.

— *L'itinéraire de la haute randonnée pyrénéenne*
Reliant l'Atlantique à la Méditerranée par la moyenne et parfois la haute montagne, en passant de-ci de-là sur le versant espagnol, cet itinéraire emprunte en général des sentiers ou de simples sentes. Il n'est balisé qu'en cas de nécessité, notamment sur les portions hors sentiers.

Il est réservé au randonneur ayant l'expérience de la montagne. Il est jalonné de gîtes d'étape le plus souvent situés en pleine montagne.

— *Le sentier de grande randonnée GR 10*
Utilisant des sentiers de moyenne montagne, non goudronnés et entièrement balisés sur plus de 400 km, il relie l'Atlantique à la Méditerranée.

Les gîtes d'étape sont prévus dans les villages, des refuges ou des cabanes de berger.

— *Les circuits balisés de moyenne randonnée*
Empruntant des sentiers non goudronnés, balisés dans le respect des sites, ces circuits permettent de marcher de 3 à 6 jours autour des plus belles vallées pyrénéennes et de revenir à son point de départ.

Six circuits sont en place :
— tour de la vallée d'Aure (Hautes-Pyrénées),
— tour du Cagire-Burat (Haute-Garonne),
— tour du Biros (Ariège),
— tour du massif des Trois-Seigneurs (Ariège),
— tour des montagnes d'Ax (Ariège),
— tour des Baronnies (Hautes-Pyrénées) qui n'est pas greffé sur le GR 10.

Si le premier et le dernier de ces circuits sont équipés chacun de quatre gîtes d'étape, le Biros n'en compte pour l'instant que deux.

D'autres circuits sont en cours d'équipement : Cagire-Burat (4 points d'hébergement) et le sentier des Fenouillèdes (3 points d'hébergement).

— Les sentiers de promenade

La plupart des stations pyrénéennes proposent des promenades de quelques heures dans la vallée ou les alentours. Plusieurs stations ont balisé des itinéraires faciles et fournissent des topoguides :
— Sare, Saint-Jean-Pied-de-Port, Iraty, Arette-la-Pierre-Saint-Martin, Laruns, Gourette, Les Eaux-Bonnes, dans les Pyrénées-Atlantiques ;
— Lourdes, dans les Hautes-Pyrénées ;
— Luchon, Saint-Béat, en Haute-Garonne ;
— Saint-Girons, Vicdessos, dans l'Ariège ;
— Maureillas-Las Illas, Les Angles, Vernet-les-Bains, Font-Romeu, dans les Pyrénées-Orientales.

On obtiendra les renseignements voulus en s'adressant aux Syndicats d'initiative ou Offices du tourisme de chaque station.

Randonnées équestres

Visiter la montagne au pas d'une monture docile, approcher les troupeaux à l'estive, suivre la transhumance des bergers, représentent quelques-unes des possibilités offertes par les randonnées équestres organisées le long de la chaîne des Pyrénées.

Il existe 14 centres équestres organisant des randonnées :
- Auberge cavalière de la vallée d'Aspe, Accous, 64490 Bedous, tél. : (59) 39.72.30.
- Bilhères-en-Ossau.
- Centre équestre du vallon du Salut, 65200 Bagnères-de-Bigorre, tél. : (62) 95.00.05.
- Poney Club de Guchen, 65440 Ancizan, tél. : (62) 98.50.02 et 98.50.13.
- Centre équestre de Luchon, 31110 Bagnères-de-Luchon, tél. : (61) 79.06.64.

- Ranch Z, Baulou, 09000 Foix.
- Cantegril, Saint-Martin-de-Caralp, 09000 Foix, tél. : (61) 65.15.43.
- Ranch DD.G., 09310 Les Cabanes.
- Le Soula, 09580 Mérens-les-Vals, tél. : (61) 64.24.11.
- Ranch le Fournil, Savignac-les-Ormeaux, 09110 Ax-les-Thermes.
- Centre équestre du Conflent-L'Oustalet, Mas Rigolès, 66500 Prades, tél. : (68) 05.14.04.
- Cortal del Manau, Nohedes, 66500 Prades, tél. : (68) 05.23.48.
- Centre équestre de la Laiterie, Vernet-les-Bains, 66500 Prades, tél. : 85.52.42.
- Francis Padrosa, Con Sabé, Montbolo, 66100 Amélie-les-Bains, tél. : (68) 39.09.09.

Randonnée à bicyclette

La randonnée à bicyclette est largement pratiquée dans les vallées des Pyrénées. Mais il convient de souligner que l'itinéraire le plus fréquenté emprunte des portions de la route nationale 618, la route thermale, jalonnée par les cols d'Aubisque, de Soulor, du Tourmalet et d'Aspin, entraînant à une randonnée cycliste plus sportive qu'écologique.

Autres formes de randonnée

— Forfait « Découverte de la haute montagne »

Il existe en vallée d'Ossau, à Gourette, et comprend l'hébergement en pension complète, une séance d'école d'escalade ; deux sorties avec ascension. Sorties et escalades sont encadrées par un guide de haute montagne.

S'adresser à l'Office du tourisme, Gourette - Les Eaux-Bonnes, 64440 Laruns, tél. : (59) 04.33.03 et 04.12.17.

— Ascensions en haute montagne

Dans chaque station les bureaux des guides des Pyrénées proposent des ascensions à la demande, ainsi qu'un programme très complet d'ascensions organisées depuis de nombreux points de départ.

Centres de renseignements pour les ascensions en montagne :
- Vallée d'Ossau : Bureau des Guides, Mairie, 64440 Laruns, tél. : (59) 04.32.15.

- Val d'Azun : S.I. d'Arrens, tél. : (62) 97.02.63.

- Vallée de Cauterets : S.I. de Cauterets, tél. : (62) 97.50.27.

- Gavarnie, Luz-Saint-Sauveur, Gèdre, Barèges : Bureau des guides, 65120 Luz-Saint-Sauveur, tél. : (62) 97.81.60.

- Haute vallée de la Neste : Maison du tourisme, 65590 Bordères-Louron, tél. : (62) 98.91.11.

Montés sur des chevaux et sur des ânes, les touristes reviennent en caravane d'une visite au cirque de Gavarnie.

● Vallée de Luchon : Bureau des guides, S.I., 31110 Luchon, tél. : (61) 79.21.21.

● Couserans : S.I. de Sentein, tél. : (61) 66.73.92.

● Vallée de la haute Ariège : S.I. d'Auzat, 09220 Vicdessos.
S.I. d'Ax-les-Thermes, 09110 Ax-les-Thermes, tél. : (61) 64.20.64.

● Pays d'Olmes : Centre de montagne et loisirs, Les monts d'Olmes, Montferrier, 09300 Lavelanet.

— Forfaits « ski en haute montagne »

Les Bureaux des guides de montagne organisent au printemps des séjours en refuge de montagne à des prix forfaitaires.

● **Des séjours en montagne sont organisés :**
Dans le pays d'Olmes par le Centre Montagne-Loisirs, Les Monts d'Olmes, 09300 Lavelanet.
Dans les Fenouillèdes : Capexe Chalet Mireval M. Vayre, 66220 Caudies-de-Fenouillèdes, tél. : (68) 59.01.25.

● **Séjours de découverte de la nature**
Dans la région de Lourdes : « Avenir, Jeunesse et Nature », Ferme Peyras, 65270 Saint-Pé-de-Bigorre, tél. : (62) 94.44.33.
Dans le Couserans et dans le pays d'Olmes : Chambre du commerce et de l'industrie, B.P. 11, 09000 Foix, tél. : (61) 68.01.19.
Dans le Conflent : Hôtel du Mas Fleuri, Vernet-les-Bains, 66500 Prades, tél. : (68) 05.51.94 et 05.52.16.

● **Randonnées spéléologiques**
Dans les Fenouillèdes : Capexe Chalet Mireval M. Vayre, 66220 Caudies-de-Fenouillèdes, tél. : (68) 59.01.25.
Dans le pays de Sault : Jean Bataillou, Usine E.D.F., Usson, 11140 Axat, tél. : (68) 20.40.33.

L'accueil

— Gîtes d'étape, refuges et cabanes

Outre les cinq refuges construits par le Parc national des Pyrénées, diverses associations possèdent des chalets et refuges en montagne.

Le Club Alpin Français dispose des refuges de Pombie et d'Arrémoulit, ainsi que le Chalet skieur de Gourette en vallée d'Ossau, des refuges de Larribet, Ledormeur et de Migouélou dans le val d'Azun, d'Ilhéou et de Culaous dans la vallée de Cauterets, refuge Baysselance au pied du Vignemale, des Gloriettes, des Sarradets et de Tuquerouye, dans le massif de Gavarnie, du refuge Packe dans la vallée de Barèges, le refuge d'Espingo, du Portillon, de Pratlong et divers abris dans le massif de Luchon ; de la Rabasse, de Pla Guilhem et des Cortalets dans le massif du Canigou.

De son côté le Touring Club de France possède le refuge Wallon et le refuge Russell dans la vallée de Cauterets ainsi que le chalet de Combele-fan près du lac des Bouillouses.

L'association locale Pyrénéa-Sports a établi un refuge à Bious-Artigues, en vallée d'Ossau.

Des gîtes d'étape, aménagés le plus souvent dans des bâtiments traditionnels sont disposés le long de la haute randonnée pyrénéenne, du G.R. 10 et des circuits de moyenne randonnée par l'association Randonnée pyrénéenne.

— Gîtes ruraux, chambres d'hôtes, fermes-auberges, camping à la ferme

Il existe dans les Pyrénées de très nombreux points d'hébergement entrant dans cette catégorie. Pour obtenir la liste des gîtes ruraux, fermes-auberges, chambres d'hôtes et camping à la ferme, il suffit d'en adresser la demande au département intéressé :
Pyrénées-Atlantiques : Association départementales des gîtes ruraux, Chambre d'agriculture, 5, place Marguerite-Laborde, 64000 Pau, tél. : (59) 27.98.44.
Hautes-Pyrénées : Association départementale des gîtes ruraux, Maison de l'agriculture, 22, place du Foirail, 65000 Tarbes, tél. : (62) 93.12.82.
Haute-Garonne : Association départementale des gîtes ruraux, 37 *bis,* rue Roquelaine, 31000 Toulouse, tél. : (61) 62.99.12.
Ariège :
Pour les gîtes ruraux et les chambres d'hôtes : Association départementale des gîtes ruraux, Préfecture, 09000 Foix, tél. : (61) 65.04.20, poste 427.
Pour le camping à la ferme : Service d'utilité agricole et touristique, Chambre d'agriculture, B.P. 53, 09001 Foix, tél. : (61) 65.20.00.
Aude : Association départementale des gîtes ruraux, 70, rue Aimé-Ramon, 11001 Carcassonne, tél. : (68) 25.24.95 et 47.09.06.
Pyrénées-Orientales : Association départementale des gîtes ruraux, Maison du tourisme du Roussillon, Palais consulaire, 66005 Perpignan, tél. : (68) 34.29.94 et 34.29.95.

— Hôtels et campings

Une liste des hôtels de tourisme ou des campings classés peut vous être adressée sur demande par la Maison des Pyrénées, 24, rue du 4-Septembre, 75002 Paris, tél. : 742.21.34.

Pour obtenir la documentation la plus complète, il est souhaitable de préciser les départements plus spécialement visés.

— Auberges de jeunesse

Il existe deux auberges de jeunesse dans les Pyrénées : une à Mérens-les-Vals : 09580 Mérens-les-Vals, tél. : (61) 64.24.11. Et l'autre à Palètes : 09200 Saint-Girons, tél. : (61) 66.06.79.

Pour tous renseignements relatifs aux Auberges de jeunesse et aux conditions d'herbergement qu'elles offrent, s'adresser à la Fédération unie des Auberges de jeunesse, 6, rue Mesnil, 75116 Paris, tél. : 553.16.95 et 553.16.96.

L'association la Randonnée pyrénéenne, 4, rue de Villefranche, 09200 Saint-Girons, édite un fascicule intitulé *Hébergement en montagne* qui répertorie les différents refuges, abris, gîtes et cabanes des Pyrénées.

Activités de pleine nature autres que la montagne

Forêts et espaces verts ouverts au public

Dans les Pyrénées, la notion d'espace vert ouvert au public prend une consonnance un peu dérisoire. Qu'il s'agisse de l'espace forestier ou de l'espace montagnard, la montagne pyrénéenne est libre d'accès et permet même de retrouver la vraie notion de la liberté d'aller et de venir. Cet état de fait malheureusement trop rare situe les Pyrénées parmi les régions privilégiées pour la découverte de la nature.

Bien entendu, les rocs et les neiges de l'étage montagnard, les pâturages et « estives » de l'étage pastoral, ainsi que les massifs boisés de l'étage forestier ont, depuis des siècles, fait l'objet d'une appropriation par l'État, les communes ou telle autre collectivité locale. Leur gestion obéit à des règles qu'il convient d'observer, qu'il s'agisse de règles légales ou simplement de se comporter en bon écologiste. A ces restrictions près (mais qui ne sauraient peser à un amoureux de la nature), l'espace de la montagne pyrénéenne est libre.

L'ensemble des vacants constituant l'espace montagnard qui s'étale entre 3 000 m et 1 900 m d'altitude environ couvre une superficie de plusieurs millions d'hectares. On ne saurait en énumérer les sites qui coïncident du reste avec la liste des grands massifs des Pyrénées.

La superficie des forêts dépasse, elle aussi, le million d'hectares dans les Pyrénées.

Même succincte, la liste des principaux massifs forestiers est déjà longue :

Pyrénées-Atlantiques

● *Forêt des Aldudes :* chênaie, au sud de Saint-Étienne-de-Baigorry, sillonnée par de nombreux chemins usagers.
● *Massif forestier d'Iraty :* hêtraie-sapinière, l'un des plus beaux ensembles de feuillus de l'Europe occidentale ; au sud-est de Saint-Jean-Pied-de-Port et se prolongeant en territoire espagnol ; plans d'eau, centre équestre, aires de pique-nique ; 30 chalets offerts à la location au sein du complexe immobilier d'Iraty géré par la Commission syndicale du pays de Soule, Larrau, 64560 Licq-Athérey, tél. : 29 à Larrau.
● *Forêt d'Issaux :* au sud-ouest d'Oloron, hêtraie-sapinière très sauvage, traversée par une route.
● *Forêt communale de Laruns :* vaste ensemble forestier, comportant d'importantes surfaces de vacants et des massifs de sapins et de hêtres, traversée par la RN 134 *bis* sur laquelle se greffent plusieurs pistes forestières.

Hautes-Pyrénées

● *Sapinière do Campan :* entre Campan et la Mongie, bordée par la RN 618.
● *Forêt de Cauterets :* très bel ensemble de pins argentés, quelques chemins forestiers.
● *Forêt de Lourdes :* autour du centre de pèlerinage, ensemble à vocation touristique, massif discontinu regroupant :
le bois de Mourles (516 hectares),
le bois du pic de Jer (173 hectares) destiné à servir d'arrière-plan de verdure,
la rive sud du lac (75 hectares) avec plan d'eau du lac,
le bois de Subercarrère (406 hectares), chêne et hêtre, terrain de jeux, jardin avec plan d'eau, parking.
● *Hêtraie de Barèges :* autour de la station thermale, chemins forestiers.
● *Sapinière d'Aure :* très vaste ensemble forestier, au sud d'Arreau, traversée par RN 129 et sillonnée de pistes forestières.

Profitant de l'humidité qui règne sous la hêtraie souletine, l'osmonde royale s'épanouit comme une fleur.

Haute-Garonne

● *Sapinière de Luchon :* le long de la vallée de la Pique, traversée par la D 46 vers Superbagnères et par un réseau de routes forestières, maison forestière de Jouéou, parkings et aires de pique-nique.

● *Forêt de Cagire :* vaste hêtraie autour du pic de Cagire, sud de Saint-Gaudens, plusieurs cabanes, réseau de chemins forestiers formant circuit « tour du Cagire ».

Ariège

● *Hêtraie du Plantaurel :* au nord de Foix, regroupe plusieurs massifs forestiers de feuillus, nombreuses routes.

● *Forêt domaniale de Castéra :* au sud de Saint-Girons, regroupe les forêts domaniales de Castillon, Bethmale (en partie) et Moulis (en partie). Série de futée feuillue (424 ha, hêtre), série enrésinée (260 ha, conifères), série usagère des communes riveraines (241 ha), maison forestière en forêt de Castillon, nombreux réseaux de chemins forestiers.

● *Sapinière de Bethmale :* 1 186 ha boisés à l'ouest et au nord du mont Valier, un étang dans la zone boisée, nombreux chemins forestiers, refuge-abri de Bethmale, pateaugeoire pour les enfants aménagée sur le déversoir de l'étang.

● *Sapinière de la haute Ariège :* en bordure de la RN 20, regroupe les forêts domaniales d'Ax et des Angals et le bois de la Crémade, plusieurs routes forestières, chalet forestier de Courtal-Jouan, plan de Campauleil.

Aude

● *Massif forestier d'Aude :* très vaste ensemble où domine les « sapins d'Aude ». Regroupe notamment :
  hêtraie-sapinière du Bac d'Estable,
  hêtraie-sapinière de Gesse (refuge des Égales),
  sapinière de Comus (refuge forestier),
  sapinière de la Plaine (refuge forestier),
  sapinière de Bunague,
  sapinière de Combefroide (refuge forestier),
  sapinière de Picaussel,
  sapinière de Callong...

Un itinéraire balisé, la « route des Sapins d'Aude », traverse ce massif forestier. Cet itinéraire est jalonné d'aires de pique-nique et de parking. Il s'y greffe de nombreuses sentes forestières.

Pyrénées-Orientales

● *Forêt de Matemale :* pin sylvestre et pin à crochet, au nord de Mont-Louis, plan d'eau du lac-réservoir de Matemale, routes et sentes forestières.

● *Forêt de Formiguères :* pin à crochet, plusieurs routes forestières.

● *Forêt de Barrès :* près de Font-Romeu, pin à crochet et pin sylvestre, routes forestières, plan d'eau et parking du lac des Bouillouses, chalet du Touring Club de France.

● *Châtaigneraies du Vallespir :* entre Amélie-les-Bains et Prats-de-Mollo.

En forêt d'Iraty, au moins dans sa partie supérieure, les sapins sont aussi nombreux que les hêtres.

L'eau et les activités nautiques

Dans les Pyrénées, pays de montagne, il faut distinguer les plans d'eau utilisables pour les activités nautiques (voile, pédalo, natation) et les torrents et lacs d'altitude où l'on ne peut pratiquer que le canoë-kayak.

— Voile

Sur le lac de Lourdes, le Yacht Club lourdais propose un forfait de dix leçons : initiation d'avril à juin et perfectionnement de septembre à novembre. Yacht Club lourdais, 11, rue Pasteur, 64000 Pau, tél. : (59) 27.55.75.

Sur la retenue de Matemale, l'école de voile du C.N.E.C. assure des leçons d'initiation et de perfectionnement du 1er juin au 31 octobre sur *420, Caravelle* et *Vaurien.* C.N.E.C., La Citadelle, 66210 Mont-Louis, tél. : (68) 04.23.11.

Les principaux plans d'eau sont :
— Plan d'eau d'Iraty (1 ha), Larrau ; 64560 Licq-Athérey.
— Lac de Lourdes (50 ha), voile, motonautisme ski nautique, canoë, pédalo ; 65000 Lourdes.
— Lac de Payolle (12 ha), voile, Campan ; 65200 Bagnères-de-Bigorre.
— Lac de Génos (32 ha), voile, canoë, pédalo ; 65510 Loudenvielle.
— Lac de Barbazan (3 ha), pédalo ; 31510 Barbazan.
— Lac de Saint-Pé-d'Ardret (2 ha) ; 31510 Barbazan.
— Lac de Bethmale (6 ha), pédalo ; 09800 Castillon.
— Étang de Lers (11 ha) ; 09320 Massat.
— Plan d'eau de Soueix (3 ha), canoë ; Oust, 09140 Seix.
— Lac de Labarre (15 ha), canoë ; 09000 Foix.
— Plan d'eau d'Orgeix (8 ha), canoë ; 09110 Ax-les-Thermes.
— Plan d'eau de Mijanès (9 ha), canoë ; 09460 Quérigut.
— Plan d'eau de Fage Belle, ski nautique ; 09300 Lavelanet.
— Lac de Puivert (1 ha), Puivert ; 11230 Chalabre.
— Lac de Belcaire (3 ha) ; 11340 Espezcl.

Lac d'Arques (7 ha), voile, Arques ; 11190 Couiza.
— Lac de Matemale (85 ha), voile, pédalo ; Matemale, 66210 Mont-Louis.

— Canoë-kayak

De nombreuses associations locales organisent des descentes de rivières en canoë-kayak. Pour obtenir leurs adresses, il est conseillé de s'adresser à la Direction départementale de la jeunesse et des sports de chaque département.

Pyrénées-Atlantiques : 3, rue Duplaa, 64000 Pau, tél. : (59) 27.27.56.
Hautes-Pyrénées : Cité administrative, Reffye, 65017 Tarbes, tél. : (62) 34.12.20.
Haute-Garonne : Cité administrative, bd Armand-Duportal, 31000 Toulouse, tél. : (61) 23.31.05.
Ariège : 12, place Georges-Duthil, 09000 Foix, tél. : (61) 65.09.25.
Aude : 12, avenue du Général-Leclerc, 11000 Carcassonne, tél. : (68) 25.41.27.
Pyrénées-Orientales : place Jean-Moulin, 66000 Perpignan, tél. : (68) 50.31.29.

Pêche et chasse

Pêche

Plusieurs centaines de lacs de montagne convenablement protégés, des milliers de kilomètres d'eaux vives limpides et bien oxygénées. Ces chiffres expriment le caractère privilégié des Pyrénées pour la pêche à la truite et au saumon.

Régulièrement alevinés à partir notamment de la pisciculture domaniale de Cauterets, nives, gaves et nestes sont poissonneux.

Il convient cependant de noter que le peuplement des torrents et des lacs pyrénéens ne se maintiendrait pas à un bon niveau pour la pêche sans de fréquentes opérations d'alevinage. Celles-ci transforment l'écologie des eaux sauvages à la fois par l'introduction d'espèces nouvelles (christivomer, truite du Canada) et par la modification des mécanismes qui règlent la chaîne alimentaire. En réalité, ces interventions en faveur de la pêche modifient l'écosystème des torrents et des lacs et placent cet écosystème dans une dépendance plus étroite de l'homme.

Il semble même que l'écrevisse, une espèce en voie de disparition, voit ici sa population s'accroître.

Les adhérents des 27 fédérations membres du Club halieutique interdépartemental, après s'être procuré le timbre du club, peuvent pêcher librement dans les Pyrénées avec une carte de 1re catégorie durant les périodes d'ouverture (précisées chaque année par voie de presse).
On trouvera les fédérations départementales aux adresses suivantes :

Pyrénées-Atlantiques : Fédération départementale des associations de pêche des Pyrénées, 20, avenue Thiers, 64000 Pau, tél. : (59) 02.38.27 et 27.58.27.
Hautes-Pyrénées : F.D.P.P., 22, rue Brauhauban, 65000 Tarbes, tél. : (62) 34.06.17.
Haute-Garonne : F.D.P.P., 5, place Wilson, 31000 Toulouse, tél. : (61) 21.18.65.
Ariège : F.D.P.P., 26, avenue de Barcelone, 09000 Foix, tél. : (61) 65.12.82.
Aude : F.D.P.P., 32, rue Mazagran, B.P. 163, 11000 Carcassonne, tél. : (68) 25.16.03.
Pyrénées-Orientales : F.D.P.P., 13, rue du Jardin-d'Enfants, 66000 Perpignan, tél. : (68) 61.46.08.

Chasse

La chasse reste l'un des loisirs les plus pratiqués dans les Pyrénées. Le gibier le plus visé demeure la « palombe », c'est-à-dire le pigeon-ramier, lors de sa migration. Certains villages, Lanne en Barétous par exemple, pratiquent la chasse collective contre ce migrateur. La plupart des communes louent les postes de tirs sur les cols situés sur les voies de migration. Perdrix rouge, lièvre, sanglier, chevreuil sont aussi des gibiers pyrénéens. La chasse à l'isard, l'antilope des Pyrénées, fait l'objet d'une chasse dont l'ouverture et les règles plus restrictives rappellent que cette espèce animale était naguère encore en voie d'extinction.

Du haut de son poste, camouflé par des feuillages, le guetteur surveille l'arrivée des palombes. Quand le vol parviendra à sa portée, le chasseur poussera des cris et lancera des palettes de bois pour rabattre les oiseaux migrateurs sur le filet caché quelque part entre les arbres.

Réputés ou anonymes, les innombrables lacs de montagnes font la parure des Pyrénées.

Autres activités

Vol libre

Le vol libre n'est pas encore très répandu dans les Pyrénées. Il est pratiqué dans quatre communes.

Hautes-Pyrénées :
- Delta Club Bigourdan, 2, place Ramond, 65200 Bagnères-de-Bigorre.
- Club des Sports, Mairie, 65170 Saint-Lary.

Haute-Garonne :
- M. Angely, 11, avenue Carnot, Bagnères-de-Luchon, tél. : (61) 79.03.31.

Ariège :
- Mairie de Saurat, Saurat, 09400 Tarascon-sur-Ariège.

Vol à voile

Les aérodromes de Pau-Idron, dans les Pyrénées-Atlantiques, Antichan en Haute-Garonne, Puivert dans l'Aude et de la Llagone dans les Pyrénées-Orientales possèdent des bases de planeurs.

A la Llagone, des séjours d'initiation et de perfectionnement, des circuits de montagne, des vols d'altitude sont organisés sur des planeurs biplaces.

Pour tous renseignements s'adresser à l'Union aéronautique des Pyrénées, Aérodrome de la Llagone, 66210 Mont-Louis, tél. : (68) 04.22.13.

Aéromodélisme

En raison d'ascendances favorables, et d'un horizon très dégagé, la montagne de la Madeleine, au-dessus de Mauléon-Soule représente un pôle de l'aéromodélisme national.

Il y a deux siècles que les grands lacs des Pyrénées comme le lac d'Oo (ci-dessous) et le lac de Gaube (à droite) attirent les touristes. Des constructions se sont peu à peu implantées sur leurs rives. Mais autant en emporte le vent. L'hospice d'Oo est aujourd'hui en ruine et la tombe des époux Patteson qui commémorait la fin tragique d'un couple anglais à la suite d'une imprudence a été balayée par la tempête. Seule demeure la majesté des paysages pyrénéens. Immuable.

Glossaire toponymique

D'un bout à l'autre de la chaîne, les toponymes que l'on traduit par « le torrent aux eaux claires » ou « la montagne des roches rouges », composent un descriptif captivant et précis mais qu'il n'est pas toujours facile de déchiffrer. Sous la couche des mots français, espagnols, pointent des noms basques, catalans et gascons et sous cette deuxième couche percent encore quelques très vieilles racines linguistiques d'origine pré-indo-européenne.

Une simple liste de mots clefs ne saurait rendre la traduction de tous les toponymes pyrénéens. Elle permet cependant d'amusantes traductions et de poser un regard sur la montagne qui était déjà celui de nos ancêtres. Une façon comme une autre de sentir les permanences pyrénéennes.

Aigue, aygue = eau (gascon). Ex. : parc national d'Aïgues Tortes.
Aitz = pierre (basque). Ex. : Aitzkondoa.
Alb, Alp = prairie élevée (probablement pré-indo-européen). Ex. : pic d'Albe.
Alde = côté (basque).
Asp, Ast, Espone = creux ou pente raide (pré-indo-européen). Ex. : vallée d'Aspe.
Ar-, Car-, Ker = site rocheux (pré-indo-européen). Ex. : Arsourins, Arres d'Anie, rocher du Ker.
Arrouy = rouge (gascon). Ex. : aiguilles de Piarrouy ou pic Arrouy.
Aran = vallée (basque). Ex. : val d'Aran.
Artigue = pâturage (gascon). Ex. : Bious-Artigues.

Baigt, Bat = vallée (gascon). Ex. : Bethmale.
Bago = hêtre (basque). Ex. : pic Baygura.
Baratz = jardin (basque). Ex. : col des Bareytes (Ariège).
Barrenc = ravin, gouffre (espagnol : barranco = ravin). Ex. : Barrenc de Picaussel, barranco de Mascun.
Barthe = bas-fond humide et boisé (gascon). Ex. : la Barthe de Neste.
Beltz = noir (basque). Ex. : Oyanbeltz, Harambels.
Bichta = vue (basque, à rapprocher de l'espagnol : Vista).
Bide = chemin (basque). Ex. : Alchubide = chemin de transhumance.
Bizkar = dos (basque). Ex. : crête d'Altabiscar.
Borde, Borda = grange, ferme (gascon). Ex. : Las Bordas.

Calm = haut plateau dénudé (indo-européen). Ex. : pic de Montcalm.
Canau, canole = couloir raide (gascon). Ex. : pic de Canaourouy.

Cap, Capet = sommet, extrémité d'une crête (latin). Ex. : le Capet de Barèges.
Chardeka = fourche (basque). Ex. : pic de Chardekaganne.
Clot = cuvette (gascon). Ex. : Clot de la Hount.
Corral, cortal = enclos à bestiaux (espagnol et catalan). Ex. : Les Cortalets.
Cayolar, cujala = cabane pastorale et ses dépendances (basque, gascon).
Coume = vallon étroit (gascon). Ex. : Coume Nère.

Dun = éminence fortifiée (gaulois). Ex. : Berdun.

Erreka = ruisseau (basque). Ex. : Ercé (en Ariège, avec village voisin : oust = l'eau).
Estibe, estibère = pâturage (gascon). Ex. : le pic d'Estibaout.
Espel = buis (basque). Ex. : Espis (vallée du Salat).

Font, hount = fontaine, source (gascon). Ex. : Fontestorbes, Pouey Laün.

Garay = haut (basque). Ex. : Bordagaray.
Gaytz = mauvais (basque). Ex. : Passagayts.
Gave = rivière (indo-européen). Ex. : gave de Pau.
Gorri = rouge (basque). Ex. : Oxchogorrigagne (la montagne du loup rouge).
Gourg = lac profond (indo-européen). Ex. : pic des Gourgs Blancs.

Handi = grand (basque). Ex. : Handiamendi.
Hego = sud (basque). Ex. : Egozane (Navarre).
Hourquette = col escarpé (gascon). Ex. : Hourquette d'Allans.

Ibar = vallon (basque). Ex. : col d'Ibardine.
Ibon = lac (aragonais). Ex. : monte de los Ibones.
Idor = sec (basque). Ex. : Idorimendi.
Iratzé = fougère (basque). Ex. : Iraty.
Izey = sapin (basque). Ex. : col d'Iseye (Béarn).

Juzoo = en bas (indo-européen). Ex. : Louvie-Juzon.

Larre = pâturage avec buissons (basque).
Larrein = étendue couverte de taillis (basque). Ex. : le bois du Larring.

Mailh, Mallo = escarpement (indo-européen). Ex. : tozal del Mallo.
Mendi = montagne (basque). Ex. : pic Gorramendi.

Né, ner = noir (gascon). Ex. : Monné de Cauterets, tuc de Quer Ner.

Ombret = lieu exposé au nord, lieu sombre (gascon). Ex. : grotte de Lombrive.
Ondo = côté (basque). Ex. : Hatchondo.
Orri = cabane de berger (catalan).
Oule, oulette = cuvette (indo-européen). Ex. : Oulettes de Gaube, lac de l'Oule.

Pale = pelouse à pente raide (indo-européen). Ex. : pic de La Pale.
Patarr = montée (basque).
Pech, Pog = éminence (gascon). Ex. : le pog de Montségur.
Pène = lieu escarpé (indo-européen). Ex. : Pène-blanque.
Peyre = rocher individualisé (gascon). Ex. : Peyre-Saint-Martin.
Plaa = terrain plat (gascon).
Prat, prado, pradère = pré (gascon). Ex. : Prats-de-Mollo.

Quèbe = abri sous roche (indo-européen). Ex. : pic Las Quebottes.

Raillère = pente d'éboulis (indo-européen). Ex. : la Raillère, à Cauterets.

Seilh = glacier (gascon). Ex. : seilh de la Baco.
Serre = crête en dent de scie (gascon ; en espagnol : sierra). Ex. : pic des Sarradets.
Soula, soulan, soulanc = versant ensoleillé (gascon). Ex. : Saint-Lary-Soulan.
Suzoo = en haut (indo-européen). Ex. : col de Suzon.

Tuc, Truc, Tosa, Tozal = piton escarpé (indo-européen). Ex. : Tuquerouye, tozal de Guara, Touzal Colomé.

Ur = eau, source (indo-européen). Ex. : Urdos, lac d'Oô. Variantes : our, ar, eau, o.

Index des noms de lieux

189

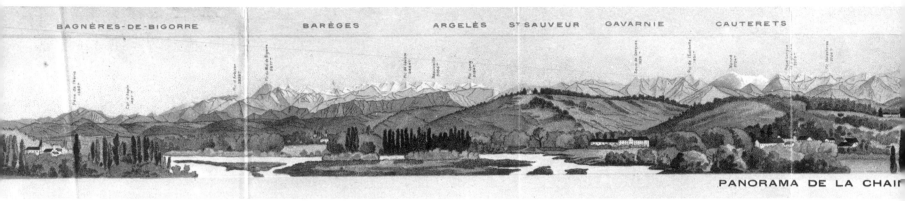

Table

EAUX-BONNES EAUX-CHAUDES   OSSAU   ASPE   PAYS BASQUE

S PYRÉNÉES VU DE PAU

RÉFÉRENCES PHOTOGRAPHIQUES

CHARMET : 15, 42hg, 42bg, 43, 86, 96d, 107, 117, 123, 152, 154, 186, 187 ; CLOS : 10b, 20m, 21b, 22g, 24b, 28-29, 30b, 31h, 50h, 51h, 82mh, 84, 98h, 100, 102, 103h, 103m, 105, 108, 125, 126, 168h, 170b, 171, 172m, 174h, 185b ; CLOTTES : 136 ; EXPLORER : Cambazard : 131, 133, 176 ; Dupont : 2, 50b, 58h, 60-61, 119, 120hg ; Fiore : 168b ; Le Touquin : 31b, 62b, 63h, 65b, 164-165 ; Lorne : 59h ; Michel : 134d, 135 ; Roy : 30h, 30m, 63m, 120hd, 122d, 134g, 159 ; Salou : 79h ; Tétrel : 23, 45b, 141, 145, 151h, 158h, 185h ; Veiller : 151b. FERRERO : 14b, 46b, 53b, 62h, 68g, 76b, 77, 83b, 85. FRONVAL : 121, 140. GIRAUDON : 27. GOHIER : 4, 6, 9, 16, 19, 20b, 21mh, 21mb, 40, 69d, 71, 82h, 82b, 89, 91h, 93, 103b, 110, 111b, 112, 115, 116h, 124, 129, 137h, 143b, 144, 155h, 156, 157, 161, 167m, 178, 179, 181, 183. 184. GOHIER GEO : 7, 21h, 22d, 66. MASSON : 13, 14h, 26, 41, 47g, 48h, 78b, 95, 97g, 98b, 101, 109, 111h. MERLET : 114h. MINVIELLE : 10h, 18, 20h, 24h, 25, 39, 59b, 64h, 67m, 68d, 69g, 78h, 81d, 82mb, 87, 88, 120b, 122hg, 142, 155b, 166b, 167h, 169, 170m, 171d ; Chevojon : 33, 34, 35, 36, 47d, 49, 53h, 57b, 74, 75, 83h, 96g, 97d, 122bg, 138, 172g. NATHAN : Bibliothèque Nationale : 51b ; Beaujard : 52b ; Charmet, collection particulière : 42d, 99, 118. OFFICE NATIONAL DU TOURISME ESPAGNOL : 79b, 80, 81g, 166m, 170h, 174m, 174b. PITCH : Abadie : 63b ; Blanchet : 91b ; Binois : 32 ; Chedal : 37, 127b ; Schrempp : 127h. RAPHO : Bajande : 143h ; Koch : 143m ; Yan : 52h. ROGER-VIOLLET : 46h, 94. SCOPE : Guillard : 153 ; Sudres : 44, 45h, 114b, 149h, 160, 166h. TOP : Fraudreau : 11, 62m, 64b ; Jalain : 45mh, 45mb, 48b, 55, 57h, 58b, 65h, 67h, 67b, 76h, 175b, 177 ; Malphettes : 150, 158b.

Couverture : RAPHO : Everts.
Cartographie : Michel Morel.

Iconographie : Brigitte Richon.
Mise en pages : Pierre Dusser.

N° d'Éditeur K 29106 - Dépôt légal 4e trimestre 1981
Imprimerie JOMBART - 27025 Évreux
Imprimé en France